LILI
DANS LA LUNE

DU MÊME AUTEUR

NE PAS TOUT DIRE, Grasset, 1999.
THOMAS, LES CHEVEUX ROUGES, Grasset, 2000.
UN JOUR, MON PRINCE..., Grasset, 2001.
PLUS FORT QUE MOI, Grasset, 2002.

SHAÏNE CASSIM

LILI
DANS LA LUNE

GRASSET-JEUNESSE
Lampe de poche

Pour Elizabeth, ma fée sur la terre.

CHAPITRE UN

« Tarabiscoté mais joli »

— Tu es bien sûre, chérie ?

Je regarde la femme brune plantée devant moi sur le quai de la gare. Sa main crispée sur mon sac de voyage. A croire qu'elle ne veut pas le lâcher. Ses courtes boucles châtaincs s'agitent sous le petit vent. Ses grands yeux chocolat m'auscultent, m'interrogent et, s'ils pouvaient, ils essaieraient de tout lire en moi. Ça ne fait rien si ça m'agace parfois. Aujourd'hui, j'adore, ça me rassure.

Je lève la tête vers le panneau.

PARIS-AVIGNON-MARSEILLE.
DÉPART 13 h 53. QUAI N°9.
TGV SPÉCIAL. VOITURES 1 À 12
EN DIRECTION D'AVIGNON.
VOITURES 12 À 24 EN DIRECTION DE MARSEILLE.

— Lili ! s'impatiente-t-elle. Est-ce que tu veux vraiment prendre ce train ou non ?

— Oui. Je le veux.

Elle sourit en me fourrant mon sac de voyage dans les bras.

— Je n'en ai jamais douté.

Je m'approche d'elle et on s'accroche l'une à l'autre. Clarisse Grès, trente-sept ans, son odeur rassurante d'ambre et de fleurs blanches, sa peau douce et sa voix un peu basse, souvent rauque, toujours inquiète.

— Lili, tu m'appelles, n'est-ce pas ?

— Promis. Tous les jours.

Je monte dans le train. Je reste accrochée aussi longtemps que possible à la silhouette frêle sur le quai.

Je t'aime Maman, lui dis-je dans ma tête, et juste après, je ferme les yeux.

Je mets mon baladeur sur les oreilles. Avec *Joining You* d'Alanis Morissette à fond. On dirait qu'elle chante pieds nus dans un royaume blanc, avec de la neige partout qui l'émerveille à chaque mot. J'ai un peu la nausée de cette vision glaciale. Tout ce blanc et la voix d'Alanis Morissette qui chante des peurs terribles et des espoirs sans fin, ça me flanque la frousse. J'imagine un désert de glace, sans plantes ni animaux ni personne et qui attend désespérément qu'un être humain y explose de vie. Je vérifie dans ma poche le portable jaune citron que m'a offert Maman avant de partir. Je me sens secouée. Où je vais comme ça ? Je dois être complètement folle.

— N'importe quoi ! je marmonne. Un peu de cran, s'il te plaît.

Quelqu'un me secoue par la manche. Je me tourne vers ma voisine. Une vieille dame aux cheveux gris argent me sourit. J'enlève mon baladeur.

— Oui ?

— Vous voulez aller boire un truc au bar ? Je m'ennuie à périr !

Je reste interloquée un moment. Elle hausse les épaules et se tourne vers la fenêtre.

— Vous préférez écouter votre musique.

— Euh… ben non… d'accord.

— D'accord pour s'envoyer un thé au bar ? s'écrie-t-elle enchantée.

Je hoche la tête. Je la suis dans les couloirs que nous traversons en trébuchant un peu, comme si nous étions des bébés apprenant à marcher. « Peut-être pas elle, mais moi c'est sûr, je me sens dans l'état agité d'un bébé apprenant à se tenir debout. » Et c'est pas gagné, je me dis un peu déprimée.

Au bar, la dame commande deux thés d'une voix sans appel.

— Comment osez-vous servir cet infectissime jus de chaussettes au citron ? râle-t-elle en fusillant le serveur du regard. Voulez-vous griller en enfer pour l'éternité ?

— J'y suis déjà toute la sainte journée. Et la boîte à réclamations est à côté de la porte en sortant.

Elle hausse les épaules et se tourne vers moi :

— Où allez-vous ?

— A Avignon.

— En vacances ?

Je déglutis. Je me mords les lèvres puis je prends une profonde inspiration.

— Je vais voir quelqu'un... de ma famille... qui habite là-bas.

J'hésite un instant puis je lance d'une traite :

— Quelqu'un de très proche que je n'ai jamais vu de ma vie.

— Je vous demande pardon ?

— Je vis avec Maman. On est bien toutes les deux, on n'a pas tellement de contacts avec... enfin... notre famille. On était bien toutes les deux. Avant.

— Ah bon, dit-elle poliment. Je me présente, Sidonie Trompette.

J'ouvre des yeux ronds. Elle lève la main tout de suite :

— Sans commentaires ! C'est mon vrai nom. De plus, je le porte depuis soixante-sept ans, alors ça crée des liens.

— Lili Grès.

Sidonie Trompette joue avec sa bague puis elle lève la tête.

— Vous voulez me raconter ? demande-t-elle d'une voix très douce.

— Je ne sais pas trop.

— Excusez-moi.

On regarde les champs défiler, les vaches qui lèvent à peine la tête, indifférentes à la rumeur du serpent TGV qui leur file sous le nez. Alors je lui explique sans la regarder.

— Il était une fois une Lili qui vivait tranquille avec sa mère. Lorsque Lili a eu quinze ans, sa mère lui a balancé la vérité. Son père n'est pas mort, mais alors pas mort du tout. Clarisse l'a rencontré quand elle avait vingt ans. Laurie et elle ont eu une histoire ensemble durant l'été. Lui, il est reparti à l'automne. Avant, il lui a dit que c'était une aventure d'une saison et merci et bonsoir chez vous. Quand Clarisse a su qu'elle était enceinte, elle a cherché à le joindre. Il ne l'a pas reconnue au téléphone. Alors, elle lui a dit que c'était une erreur et elle a raccroché.

Quelques mois plus tard, elle a remis ça. Par courrier cette fois. Mais il n'a pas répondu ou n'a pas reçu sa lettre. L'enveloppe est revenue avec la mention « destinataire inconnu ». Laurie n'a pas su que sa fiancée de l'été attendait une petite fille de lui. Que Clarisse allait l'appeler Lili parce qu'elle voulait que son père et elle aient un prénom qui commence par la même lettre.

— Tarabiscoté mais joli, commente la vieille dame. Ce fameux Laurie ? Il est d'où ? Il est anglais ?

— Oui. En vrai son nom c'est Lawrence. Tout le monde l'appelle Laurie. Il paraît que tout le monde l'appelait Laurie, je corrige, la gorge soudain serrée.

Elle prend ma main puis hoche la tête pour que je continue. J'aime bien la chaleur de sa peau sur mes doigts glacés.

— On l'a cherché pendant des mois, en sachant juste qu'il vivait quelque part dans le sud de la France. Au début du printemps, on a appris qu'il habitait Avignon. Maman lui a téléphoné et, pendant des semaines, ils n'ont pas arrêté de se raccrocher au nez. Et puis, il y a quelques jours, il m'a écrit pour m'inviter à passer un mois avec lui. Voilà, j'y vais.

— Tu as la trouille ?

— Je voudrais rentrer à Paris.

16

Elle tapote ma main gentiment.

— Normal. N'importe qui à ta place voudrait rentrer presto à Paris. Même en rampant.

Je ris en oubliant que je suis censée pleurer.

— A la bonne heure ! Un autre thé dégoûtant ? C'est ma tournée.

CHAPITRE DEUX

Pas mal vu pour une inconnue

Nous sommes revenues dans notre compartiment après trois thés chacune et au bord du malaise toutes les deux.

— Jamais de thé dans le TGV ! Voilà la pensée du jour ! peste Sidonie.

Une fois que nous nous sommes affalées à nos places respectives, elle a farfouillé dans sa grosse besace en cuir avant d'en extirper un poudrier doré flambant neuf.

— Mon remède contre l'âge, ma petite ! Mon âge ! Un peu de poudre toutes les heures sinon j'ai l'air tout de suite de ce que je suis. Un vieux dinosaure.

Moi j'aime bien ses joues froissées. Elles ont l'air douces et fragiles. Avec des joues pareilles, on ne peut faire de mal à personne. Et puis son poudrier me rappelle ma mère. Assise devant sa coiffeuse à la maison, Clarisse agite une houppette blanche ridicule sur son front, son nez, son cou. J'aime bien l'odeur, ça sent la rose en train de se faner. Le parfum qui s'évapore discrètement dans la pièce, comme avec regret.

Quand je serai vieille, j'aurai un poudrier comme Sidonie et une houppette comme Maman.

— Et si elle meurt en mon absence ? je chuchote.

— Pardon ? s'exclame Sidonie.

— Maman, si elle meurt pendant que je suis dans le Sud ? Je fais quoi, moi ?

Sidonie referme son poudrier. Elle le range avec soin au fond de son sac. J'ai dans l'idée qu'elle gagne du temps.

— Lili, ce qui t'arrive est bouleversant. Qu'on soit enfant, adolescent ou adulte, voire même grabataire, aller à la rencontre de son père qu'on n'a jamais vu de sa vie est — avant tout — une épreuve. D'abord parce qu'on s'en est fait malgré soi une certaine idée pendant des années. On a été obligé de l'imaginer durant son absence.

— Surtout quand on vous a fait croire qu'il est mort, j'ajoute sournoisement.

— Oui, oui. Donc on se crée une image de lui, une photo intérieure. Pour tenir le coup, tu vois ? Pour avoir quelque chose à se mettre sous la dent parce que l'absence d'un de ses parents, c'est quelque chose d'insupportable. Ce qui est difficile, quand il réapparaît, le choc en retour si tu préfères, c'est qu'on va devoir confronter cette image à la réalité brute de pomme. Tu comprends ?

— Pas tout.

— Je m'en doute. Ce que je veux dire c'est que ce n'est pas très rassurant de voir en chair et en os un être auquel on pensait mais dont on était sûr qu'on ne le croiserait jamais de sa vie. Bien qu'il soit ton père, il reste un parfait extraterrestre quand même. Du moins pour l'instant.

Ça tilte dans ma tête. Je me sens soudain très calme. Presque sereine ou soulagée.

— Un extraterrestre. Pile le genre de mot que je cherchais. Merci.

— De rien ma puce.

Adossée à son fauteuil, Sidonie se mordille les lèvres d'un air embêté.

— Je pense à une chose.

— Quoi ?

— Ta mère, elle te fait rudement confiance. Elle te laisse y aller seule, elle est persuadée que tu tiendras le coup et que tu es forte. Et je suis sûre qu'elle a aussi peur que toi. Si ça se trouve elle est en train de chouiner pareil que toi. « Et moi qu'est-ce que je fais si Lili elle meurt ? Et si elle ne revient plus jamais ? Qu'est-ce que je deviens ? »

Je me décontracte un peu. Pas mal vu pour une inconnue.

— C'est bizarre, plus je vous parle, plus j'ai l'impression de vous connaître. Vous allez me manquer.

— Voilà pourquoi, dit-elle en fouillant dans son sac, je te donne ma carte. J'habite pas très loin d'Avignon. Tu me téléphones quand tu veux ou même tu viens me voir.

Soudain, son geste s'arrête. Elle fronce les sourcils.

— Quoi ? je demande.

— Des fois, on parle à un inconnu uniquement parce qu'on sait qu'on ne le reverra jamais. Peutêtre n'as-tu pas très envie...

— Des clous ! je réplique en lui arrachant le carton.

Et là, je crois rêver. Parce que sur la carte, il y a marqué : *Sidonie Trompette. Ancien expert psychiatre auprès des tribunaux d'Avignon. 13, allée de la cloche fêlée. Avignon.*

J'éclate de rire malgré moi. Sidonie lève les yeux au ciel, résignée :

— M'en fiche pas mal. Soixante-sept ans que ça fait rire tout le monde.

Après, j'ai somnolé. Je sentais confusément la présence de Sidonie. J'ouvrais à demi l'œil, je la voyais lire un magazine ou regarder par la fenêtre et, rassurée, je me rendormais presque heureuse. Elle m'a un peu secouée par l'épaule à un moment :

— Je viens d'apercevoir une vieille amie dans l'autre compartiment. Je vais papoter avec elle. Repose-toi. Prends des forces. Tu sais où me trouver si on ne se revoit pas d'ici Avignon ?

— Oui, je marmonne. J'ai votre carte. Je vous téléphone.

Elle s'éloigne en serrant sa besace contre elle.

— Sidonie ?

— Oui ? dit-elle en se retournant dans l'allée.

— Merci.

Elle agite la main en souriant.

— Pas de quoi, Lili.

Je me réveille en sursaut. Des gamins jouent à chat perché dans le compartiment qui était, jusqu'à présent, vide. Je soupire au troisième cri strident. J'ai tellement sommeil. Je me lève et je nous traîne — mon sac et moi — quelques compartiments plus loin. Je lâche mon bagage et je me pelotonne dans le siège, la joue contre la fenêtre brûlante de soleil. Mes yeux se ferment même si je sens que mon cœur bat plus vite que d'habitude. Ma gorge se serre à mesure que je m'approche de « lui », mais le sommeil est plus fort que moi.

CHAPITRE TROIS

« Lili dans la lune »

Quand je me réveille, il est tard. Il est même trop tard. Mes oreilles bourdonnent à l'annonce dans le haut-parleur. Le contrôleur signale une seconde fois :

« Mesdemoiselles, Mesdames, Messieurs. Votre attention s'il vous plaît. Le TGV entrera en gare de Marseille Saint-Charles dans quelques minutes. »

Mon cœur fait un bond dans ma poitrine. Et alors là, je comprends vraiment mon malheur. J'ai raté Avignon. Je me précipite vers le contrôleur.

Je l'attrape par la manche, plus morte que vive.

— Je me suis trompée ! Oh mon Dieu, je me suis trompée ! J'ai dormi... Avignon... On m'attend là-bas... Oh mon Dieu ! Maman !

Il me regarde, effaré, puis il saisit l'ampleur du problème.

— Du calme. Du calme, recommande-t-il d'une voix chantante.

Son visage est moitié compatissant, moitié moqueur :

— Est-ce la fin du monde ?

— Pardon ? je balbutie en tremblant comme une feuille.

— Je pense que vous allez être en retard à votre rendez-vous, voilà tout. Prévenez votre mère, qu'elle ne s'affole pas. Le problème est réglé !

Et il me plante là. A ces mots, je me mets vraiment à pleurer.

— Maman, ô Maman ! je sanglote.

Il revient aussitôt sur ses pas. Je vois qu'il me prend pour une déséquilibrée. Il se dit « cette gamine est crétine, ultra-sensible, complètement toquée voire les trois ».

Je m'effondre sur le premier strapontin venu.

— Voyons, reprenez-vous mon poussin ! Vous voulez mon portable ? Il faut que vous préveniez votre maman, d'accord ? C'est la chose à faire. Téléphonez à votre Maman, répète le contrôleur en articulant avec soin.

Je sors mon portable et je le lui montre. Il approuve d'un signe de tête.

— Très bien. Je compose le numéro pour vous ?

— Oui, je murmure soulagée.

Je sors le post-it collé sur mon agenda et je le lui donne.

— En fait mon rendez-vous s'appelle Laurie. Dites à Laurie que je me suis trompée... et que c'est une erreur tragique, un grave malentendu... J'ai changé de compartiment à cause des gamins qui jouaient à chat perché... je me suis trompée sur toute la ligne...

— C'est bon, j'ai compris le topo.

Il fait les numéros, fronce les sourcils. Enfin, son visage s'éclaire :

— Bonjour monsieur...

Blanc. Il fronce à nouveau les sourcils :

— *Do-you-speak-French-mister-Laurie ?* crie-t-il soudain dans le combiné. *Yes ? All right.* J'aime mieux ça. J'ai ici une jeune personne dénommée...

— Lili Grès, je souffle.

— Une jeune personne dénommée Lili Grès. Elle a raté le... pardon ?... ah oui, je suis le contrôleur du TGV 4234 Paris-Gare de Lyon-Marseille via Avignon... Vous dites ? ... Oui, elle va bien... Entendu, je vous la passe...

Il me tend le portable et je recule d'un bond en secouant frénétiquement la tête. Aussitôt, le contrôleur pose une main apaisante sur mon épaule.

— Du calme, poussin... *sorry sir, she can't*

speak to you, she is not very well, I don't think..., hurle-t-il de plus belle. Euh, oui, désolé, j'ai oublié que vous parliez français. Où en étais-je ? Ah oui... elle n'est pas en état de parler... Sous le choc, exactement... je ne vois pas ce qu'il y a de drôle, monsieur Laurie ! Entendu... je la mets dans le train qui revient à Avignon... Pour votre gouverne, il arrive à 19 h 54... Soyez sur le quai, je vous prie. Cette enfant ne s'appartient plus, elle est bouleversée. *Good bye, sir*, conclut-il plutôt fraîchement.

Et il raccroche.

— Je ne sais pas qui est ce Laurie, annonce-t-il d'un ton pincé, mais apparemment, votre bévue le fait beaucoup rire.

Je décide que les contrôleurs de TGV sont les hommes les plus charmants du monde. Monsieur Paul a refusé que je paye l'amende. Puis il a joué les baby-sitters avec beaucoup de gentillesse. Il m'a accompagnée sur le quai et a attendu le train avec moi. En plus, je lui décerne la palme de la discrétion. Il ne m'a pas posé une question. Alors que, si j'ai bien compris, la conversation avec Laurie a été plutôt saugrenue.

— Drôle d'oiseau ce type ! Il avait pratiquement le fou rire, gronde-t-il.

Alors je me mets à lui raconter des histoires.

— C'est mon parrain. Il est très chouette mais un peu dingo. Un artiste, vous savez?

Monsieur Paul a l'air tout à fait convaincu et soulagé par cette explication qui personnellement me paraît complètement foireuse. Mon ange gardien me tend même une barre de céréales aux noisettes et «quatre fois plus riche en magnésium», promet l'emballage.

— Je vous remercie, monsieur Paul, je marmonne le nez rivé sur mes chaussures.

— Oh, c'est rien, j'ai une fille aussi. Mais, elle, elle est très débrouillarde, ajoute-t-il avant de virer rouge pivoine.

Je souris même si j'ai l'estomac retourné de contrariété à cause de mon comportement ridicule.

— Je suis nulle, pas vrai?

— Mais non, mais non.

Il danse d'un pied sur l'autre, l'air assez gêné.

— Tenez! Voilà ce satané tortillard! Trois minutes de retard. Vraiment pas la même gueule qu'un TGV, hein?

— Tant qu'il n'explose pas en route, tout ira bien.

Je monte dans le tortillard, comme il dit.

— Hé! je n'oublierai pas de descendre cette fois.

Monsieur Paul sourit jusqu'aux oreilles :

— Ça risque pas ! Terminus Avignon ! Vous n'avez vraiment pas le choix !

Je sens mon estomac se contracter une nouvelle fois. J'agite la main vers Monsieur Paul en priant pour ne pas vomir par la fenêtre. « Vous n'avez pas le choix » tinte à mes oreilles comme un genre de menace.

Affalée dans mon fauteuil, je prends une grande décision en sortant mon carnet à spirales et un crayon.

Trop d'événements étranges depuis mon départ. Sidonie Trompette, Monsieur Paul... Est-ce que sans le savoir, je vis une sorte de voyage initiatique ou quoi ? A partir de cette seconde, je tiens un Journal. De toute façon, toutes les adolescentes le font. Pourquoi pas moi ? Je n'ai rien de moins qu'elles. Evidemment, je n'ai jamais vu mon père, ma mère a toujours prétendu qu'il était mort, mais à part ça, je vous le demande, qu'ai-je de différent par rapport à une autre fille de mon âge ?

A mon arrivée, j'ai su. Mon voyage a été une catastrophe parce qu'il y a toujours quelque chose qui cloche dans ma vie. Moi qui voudrais être la plus discrète des souris, le monde entier me montre du doigt depuis quelques heures : une ancienne experte psychiatre, un contrôleur qui hurle dès qu'il parle anglais... Mon intuition se confirme, d'ailleurs. Sur le quai où je descends en trébuchant parce que je rate une marche du train, je vois une énorme pancarte. Il y est écrit en gros caractères LILI DANS LA LUNE. Juste en dessous, se trouve celui qui la brandit : un grand type blond avec des espadrilles rouges qui s'agite dans tous les sens des fois que son imbécile de fille lui file encore sous le nez.

CHAPITRE QUATRE

Laurie

J'avance vers lui comme dans un rêve. Jambes en coton, ventre noué et gorge plus serrée que jamais. Tourné légèrement vers la gauche, il ne me voit pas tout d'abord. Il pose sa pancarte, fouille dans ses poches. Il sort une cigarette et un briquet. Il me découvre alors devant lui. Il s'immobilise puis allume sa cigarette quand même.

— Laurie ? je questionne dans un souffle.

— Lui-même. Et toi tu es Lili.

Drôle de premier échange. Je pose une question, il affirme. On s'ausculte en douce, un peu gênés. Il se penche vers moi parce qu'il est très grand. Ça me donne le vertige, ce type tombé du ciel.

— On a les cheveux pareils, les mêmes yeux et des sourcils tout à fait identiques, Lili.

J'entends que sa voix tremble un peu. Nos regards restent un instant vissés l'un à l'autre puis se décollent brusquement. Il prend mon sac d'une main et coince sa pancarte sous son bras. A grands pas, il quitte le quai sans même m'attendre. Ce serait le moment d'en profiter. J'ai envie de partir en courant dans l'autre sens. Pourtant, je serre les dents en continuant à avancer. Je repense à ce film que j'ai vu à Paris, le titre tourne en rond dans ma tête, comme un disque rayé. « Je règle mon pas sur le pas de mon père… Je règle mon pas sur le pas de mon père… Je règle mon pas sur le pas de mon père... Je règle mon pas sur le pas de… »

Je secoue la tête pour chasser la ritournelle. Je suis Laurie dehors sur la place de la gare où les gens marchent, courent, se débattent avec des bagages ou hèlent un taxi. Sans savoir que quelque chose vient de bouleverser nos vies à Laurie et à moi. Et que peut-être on ne s'en remettra jamais.

Laurie s'arrête devant un café. On s'installe en terrasse. Il prend un cognac et moi une limonade. Sans se gêner le moins du monde, il me contemple en plissant les yeux.

— C'est la situation la plus étrange que j'aie jamais vécue de ma vie, déclare-t-il.

— Moi aussi, je balbutie.

— Tu t'es endormie, n'est-ce pas ? C'est pour cette raison que tu as raté Avignon ?

Je hoche la tête. Sa voix est très assurée, avec un accent anglais prononcé mais les mots sont choisis avec naturel. Il n'hésite pas. Je remarque ça parce que Maman parle d'une façon plutôt hachée, comme si elle réfléchissait aux mots employés ou au sens de ce qu'elle dit. Elle s'exprime comme si on l'attendait au tournant ou comme si elle avait peur de faire des fautes. Moi je trouve qu'on se demande sans cesse ce qu'elle va dire d'étonnant ou de merveilleux. Parfois ça m'agace, d'autres fois, j'adore. *Lili, il faut apprendre à aimer les gens en entier, défauts compris car sinon ton amour il ne vaut pas bien cher.* Dixit Clarisse Grès.

— Il faut que j'appelle Maman.

Laurie s'agite brusquement.

— Tu veux de l'argent ? Une carte de téléphone ou...

— Non, je coupe un peu sèchement. J'ai un portable.

Je me lève et je m'éloigne de quelques pas, j'ajoute trois ou quatre mètres. Après je traverse carrément la rue. Pour m'écarter un peu de lui, je suppose. Assise sur le rebord de la petite place à la fontaine, je le vois sortir un journal froissé. Ça me fait sourire malgré moi. Il ne peut pas le lire vu qu'il le

41

tient à l'envers. Bizarrement rassurée, j'appelle Maman.

— C'est moi.

— Tu vas bien, chérie ? Je me suis… inquiétée. Tu m'appelles un peu… plus tard que prévu. Ton voyage ? Chérie… Il s'est bien passé ?

— Si on veut.

— Où es-tu ? Tu es avec… avec… avec lui ?

— Oui. On est au bistrot. Mais il ne peut pas nous entendre.

— Pas trop… chamboulée ?

— Tu te fous de moi ?

— Excuse-moi, Lili, soupire-t-elle.

— Pas grave. Quel âge il a ?

— Il est plus… jeune que moi… de deux ans si je me souviens bien.

— Il a trente-cinq ans.

— Bravo ! Je ne t'ai pas envoyée à l'école pour rien. Il a… changé ?

— Tu te moques de moi ? Comment tu veux que je sache ? je te signale que je n'ai jamais vu aucune photo et que de plus, tu m'as fait croire durant quinze ans de ma vie qu'il était mort !

Je le détaille en douce, l'homme aux espadrilles rouges qui s'est aperçu à l'instant qu'il lisait son journal à l'envers. Ce n'est rien, je me dis, ce n'est rien qu'un type blond âgé de trente-cinq ans aux espadrilles rouges et qui boit un cognac. Ce n'est rien qu'un homme beaucoup plus grand que la moyenne, plus mince aussi, à la voix un peu cassée et aux yeux de chat noirs comme la nuit. Sombres comme les miens.

— Allô ? Allô ? Tu es toujours là, Lili ?

Soudain la moutarde me monte au nez. Oui je suis là et elle va m'entendre, ma mère.

— Pourquoi tu ne m'as pas dit qu'il était si grand ? J'ai l'air de quoi maintenant ? je glapis dans le téléphone.

— Quoi ? !

— Je te dis que ce type est immense ! Tu aurais pu me prévenir ! Il fait au moins un mètre quatre-vingt-dix. Voire même deux mètres !

— Lili, chuchote une voix tremblante dans le téléphone, il n'est pas immense du tout, c'est toi qui es petite. Tu t'en plains du matin au soir, tu t'en souviens ?

— Je raccroche, Maman, je préviens, c'est impoli de faire attendre les gens.

CHAPITRE CINQ

La réalité brute de pomme

Je reviens à pas lents vers le café. Laurie me regarde m'approcher puis referme son journal qu'il prend soin ensuite de plier en deux. Quand j'arrive devant lui, il lève les yeux vers moi :

— Tout va bien ? Tu l'as rassurée ?

— Elle n'était pas inquiète.

Il hoche inutilement la tête, comme s'il comprenait. Je me demande bien pourquoi nous faisons tous ces gestes, hocher la tête, secouer la tête, bouger les mains en parlant, se cacher un peu pour téléphoner ou mentir sans raison à une question banale du genre « tu l'as rassurée ? ».

— On y va ? propose-t-il.

— J'aimerais bien finir ma boisson.

— Oh oui, pardon. Excuse-moi.

Je termine ma limonade dans un silence plutôt tendu. Autour de nous, les gens vivent leurs vies. Je m'étonne de nouveau. Pour moi le temps s'est un peu ralenti, et les autres, ils continuent à un rythme normal. Curieusement ça me rassure qu'ils ne soient pas embarqués dans la même galère que moi. Mon verre est vide, mon cœur va exploser tant il bat vite. Cette fois, plus d'excuse. Il va falloir que je suive Laurie dans son univers. Je vais me retrouver dans sa maison et dans ses habitudes. Je me sens piégée.

Laurie empoigne mon sac, moi je m'empare de la pancarte. Je pourrais aussi bien me l'accrocher dans le dos. Je la dépose en douce près d'une poubelle. Laurie se retourne aussitôt. Comme s'il l'avait senti.

— Non. Reprends-la. Je voudrais la garder.

Cramoisie, je hoche bêtement la tête. Laurie s'arrête devant une Austin verte cabossée dans un parking à quelques rues du café.

— Voici mon carrosse.

Sauf que tu n'es pas du tout le Prince Charmant. Tu as brisé le cœur de ma mère, tu te rappelles? Et ne compte pas sur moi pour t'aider à recoller les morceaux, me dis-je dans ma tête.

Je grimpe à l'intérieur tandis que Laurie tient la portière en regardant ailleurs. J'évite moi aussi de l'observer tandis qu'il s'installe à la place du conducteur. J'aurais préféré être derrière. Je n'arrive pas à accrocher la ceinture de sécurité alors je laisse tomber.

— Tu permets ? demande Laurie en se penchant pour m'aider.

Clarisse, tu permets que je te fasse un enfant et que je dégage comme si de rien n'était après ? Tu permets aussi que si tu m'appelles quinze jours plus tard, dans l'intention de m'en faire part, je sois incapable de reconnaître ta voix ? Permets-moi aussi de ne jamais recevoir la lettre qui m'annonce la naissance de ma fille.

J'ai honte d'être là et je le déteste d'exister si soudainement. J'ai l'impression qu'il est né il y a vingt minutes et que moi je suis vieille de quinze ans. De plus, comme dirait Sidonie Trompette, je préfère ma photo intérieure de lui au contact avec la réalité brute de pomme. Et aussi cet homme poli, qui me boucle avec la ceinture de sécurité, dans sa voiture des fois qu'on ait un accident et que je meure, me tape sur les nerfs. Si encore il s'était inquiété de mon existence un peu plus tôt, je ne dis pas. Là franchement, il pousse un peu loin la blague avec son histoire de ceinture de sécurité.

On roule quelques kilomètres dans un silence sordide. La ville disparaît petit à petit. On bascule dans un paysage différent. Nous sommes soudain en pleine campagne avec de belles montagnes au loin. La lumière baisse, la chaleur reste. Une atmosphère lourde où le parfum des arbres suspendu autour de nous donne l'illusion que la vie est simple. J'ai les paupières qui picotent de larmes retenues. Je voudrais hurler et je suis muette. Je voudrais l'injurier et pas un mot ne vient. Je voudrais le haïr mais je ne sais pas.

— Je ne savais pas, déclare Laurie sans quitter la route des yeux. Quand nous nous sommes quittés, après ce qui n'était pour tous les deux qu'une aventure, j'ignorais que Clarisse était enceinte. Je ne savais pas avant qu'elle ne m'appelle en mars dernier.

— Et la lettre à ma naissance ?

— Je ne l'ai pas reçue. Je te le jure.

Un feu rouge surgi de nulle part nous immobilise soudain. J'ai l'impression que cette pause me force à parler.

— Ça aurait changé quelque chose ? je demande.

— Jamais je n'aurais le courage de répondre à une telle question.

— Alors restez lâche, je siffle entre mes dents.

Laurie inspire puis avoue du bout des lèvres :

— Franchement, je n'en sais rien. Je n'ai pas la moindre idée de ma réaction si j'avais su que Clarisse attendait un enfant.

— Un enfant de vous, j'accuse.

— Je n'ai pas la moindre idée de ma réaction si j'avais su que Clarisse attendait un enfant de moi.

Je détourne les yeux, un peu moins paniquée. J'ai cru un instant qu'il allait dire que ça n'aurait rien changé et qu'il en était certain. J'ai eu peur qu'en gros, que j'existe ou pas, il s'en fiche royalement. La voiture cahote. On va tomber en panne au milieu de nulle part, je me dis. Il ne manquerait plus que ça. Je me trompe. Ce n'est pas la voiture qui ne veut plus avancer c'est Laurie qui l'a arrêtée.

Il sort en catastrophe et court vers le bas-côté. Sans réfléchir, j'ouvre la portière. Je fonce derrière lui à toutes jambes. Il s'enfuit, je me dis le cœur ravagé, il s'enfuit, il me plante là et il fout le camp, comme il y a quinze ans. Je pile devant sa silhouette accroupie. Je devine son visage penché vers le sol.

Je sors un mouchoir de ma poche. Dès qu'il a fini de vomir, je le lui tends.

— L'émotion plus le cognac, ça ne pardonne pas, s'excuse-t-il.

— C'est rien.

Il se relève, et je découvre qu'en quelques secondes le soir s'est couché. On revient à pas lents vers la voiture — en se heurtant une seconde à peine — parce qu'il fait presque noir.

— Pardon, nous disons-nous en même temps.

Je fouille dans mon sac à l'arrière pour sortir une bouteille d'eau.

— Tenez. Vous en voulez un peu ?

— Seulement si tu me tutoies.

A cause de l'obscurité, du dernier rayon de soleil rouge qui embrase l'horizon, de la tension sur mes épaules aussi, j'entends les mots sortir d'une traite, aussi épuisés et en colère que moi.

— D'accord puisque tu le permets.

CHAPITRE SIX

Quelque chose qui cloche

Dans un silence totalement plombé, on est remontés en voiture. Mon dos me fait de plus en plus mal. Comme si un cartable à dos invisible mais bourré de pierres s'était soudain accroché à mes épaules.

— Tiens-toi droite.

— Pardon ?

— Quand on a mal au dos, il faut se tenir le plus droit possible, les pieds posés bien à plat. Ensuite, on respire en essayant d'étirer doucement un à un les muscles douloureux.

— Je ne savais pas. J'ai jamais eu mal au dos de ma vie avant maintenant.

Du coin de l'œil, je vois qu'il sourit un instant. Et il me trouve drôle en plus. Dieu merci, il n'ajoute aucun commentaire. C'est curieux mais ce type-là, il a l'air d'entendre ce que je pense. Et ça, j'aime pas, mais j'aime pas du tout. Et d'abord pourquoi moi j'entends rien de ce qu'il se dit ? C'est pas bien juste tout ça quand même. Laurie ralentit au pied d'un chemin caillouteux qui monte.

— On est arrivés. La maison est en haut.

Je sors de la voiture et j'examine les lieux le plus sévèrement possible. Pas de doute, c'est plutôt joli mais discret, pas tape-à-l'œil pour un sou, me dis-je à contrecœur. Au loin, on voit la montagne Sainte-Victoire. Je plisse les yeux dans l'obscurité pour discerner une maison dans les parages.

— Plus haut, explique Laurie. La maison est au bout du petit chemin qui monte.

Je ne vois qu'une vague masse informe. Laurie prend mon sac et commence à monter. Cette manie qu'il a de ne jamais attendre m'énerve. Jamais il se retourne pour voir si on n'est pas en train de mourir derrière lui ? Je lui emboîte le pas, le nez sur les petites aspérités caillouteuses que je sens une à une sous mes sandales. Cent mètres plus haut, Laurie s'arrête net. Je le rejoins aussi sec.

— Qu'est-ce qu'il y a ?

— Rien. Je ne me souvenais pas avoir laissé la lumière allumée.

Il a l'air assez tracassé par cette histoire. Il doit y avoir anguille sous roche. Je décide d'en avoir le cœur net.

— Quelque chose cloche ?

— Ça m'en a tout l'air.

Il dépose le sac par terre et me fait signe de le suivre. On contourne la maison à pas de loup. Par une petite lucarne, un filet de lumière.

— Merde. Franchement merde, gronde Laurie en examinant l'intérieur.

Je saute plusieurs fois vu que la fenêtre m'arrive à peu près au front. Il y a quelqu'un dedans. Quelqu'une plus exactement.

— Qui c'est ? je demande.

— Une... Une... disons... une amie...

— Une aventure, je décrète.

Laurie se retourne vers moi.

— On ne peut rien te cacher, déclare-t-il d'une voix amusée.

— Alors ? Qu'est-ce qu'on fait ? C'est chez toi, non ? On ne va pas aller dormir à l'hôtel quand même ?

— Bien sûr que non.

Plus je nous écoute, plus je trouve cette conversation saugrenue. Il m'attrape par le bras et m'entraîne à l'écart.

— Ecoute Lili, je n'ai aucune envie de voir cette... cette...

— Cette aventure, je finis d'un ton ironique.

— Arrête ! Arrête avec cette petite voix

méchante ! C'est crispant et de plus, je suis sûr que tu n'es pas comme ça. Ce n'est pas toi.

— Et comment tu sais ?

— Chut ! N'élève pas la voix. Je ne le sais pas, je le sens. Alors par pitié, débarrasse-toi de ton aigreur sinon tu vas passer un séjour affreux. Et moi aussi par la même occasion. Crois-moi, je n'en ai pas du tout envie.

Je recule d'un pas, soudain paniquée. Il y a plein de gros cailloux par terre, s'il m'attaque, je l'assomme. Un bon coup sur la tempe pour causer des dommages irréparables. Il deviendra un légume et je n'aurai plus à m'inquiéter de savoir ce qu'il pense de moi. Je dirai que c'était un accident. Sidonie témoignera pour moi en échange de poudriers dorés à vie.

— Pardon, Lili. Excuse-moi, je ne voulais pas me mettre en colère. Je voulais qu'on soit juste tous les deux ce soir. Bon sang, c'est déjà assez difficile comme ça. Tu m'excuses ?

— Oui.

— Bon. On repart, on va aller dîner à Avignon.

— Mais je suis fatiguée !

— Je sais, je sais. Mais je t'assure que Fannie est la plus épuisante des personnes. Elle va te bombarder de questions, elle ne te lâchera pas d'une semelle tant qu'elle ne saura pas tout sur toi. Qu'est-ce que tu préfères ?

— Allons dîner. Et quand on revient, si elle est encore là, moi je dors dans la voiture et toi tu te débrouilles.

Sans attendre la réponse, je redescends jusqu'à la voiture. J'ai mal aux pieds, le dos, je n'en parle même pas. De plus, cette situation extravagante me met hors de moi sans que je sache vraiment pourquoi. La petite boule dans la gorge est revenue et, catastrophe, des larmes coulent sur mes joues. Je renifle dans la voiture en priant pour que Laurie continue à siffloter.

— Pourquoi tu pleures ? demande-t-il.

— Je sais pas trop. A mon avis c'est les nerfs. En vieillissant, j'ai remarqué que mes nerfs se fragilisaient.

Laurie éclate de rire. Et à ma grande surprise, moi aussi. C'est ce qu'on appelle un fou rire nerveux plutôt communicatif.

CHAPITRE SEPT

Des choses complètement annexes

Finalement, nous ne sommes pas allés au restaurant. Ou alors celui-ci est le plus beau du monde et personne n'a jamais encore eu l'idée d'y venir. Devant moi, les formes limpides de la montagne Sainte-Victoire. Je sens l'odeur des pins et de la nature assommée par une journée trop chaude. Mais c'est le silence surtout. Je picore un maquereau au vin blanc avec une minuscule lamelle de citron écrabouillée sur une tranche de pain de mie. Je regarde mon voisin qui déguste à peu près le même menu acheté à la va-vite à la Supérette du village. On a planté une bougie dans le sol, alors je vois son profil songeur, presque immobile si les cils ne battaient pas régulièrement. Il regarde la montagne comme il doit la regarder mille fois par jour. Je me demande à quoi il pense. Petit a, comment se débarrasser de cette gamine. Petit b, courage plus que trois semaines et six jours. Petit c, comment ai-je pu donner une clé de la maison à Fannie.

Curieusement, j'espère de tout cœur qu'il est obsédé par la troisième hypothèse.

— Comment tu l'as connue ?

— Qui ça ? Clarisse ?

— Mais non ! Fannie.

Il agite la main comme si c'était pas important.

— Au cours d'un concert à Avignon.

J'imagine qu'ils sont allés écouter les Smashing Pumpkins ou Alanis Morrissette. Leurs briquets se sont heurtés pendant qu'Alanis chantait *Joining You* à la guitare sèche. A moins qu'il lui ait marché sur le pied par mégarde. Dans ce cas précis, collet monté comme il est, il l'a invitée à boire un verre pour s'excuser. « Vous permettez que je vous offre un cognac ? » a-t-il dit en souriant. Ça me fait froid dans le dos. Je continue bravement l'interrogatoire en restant la plus rationnelle possible.

— Un concert de qui ?

— Henri Demarquette, entre autres.

— Il chante quoi ?

— Rien du tout. Il joue du violoncelle.

Pour ne pas me laisser impressionner, je rassemble tout l'aplomb qui me reste :

— Que jouait-il ? Beethoven ? dis-je en priant

pour que ce dernier ait composé des œuvres pour violoncelle.

— Un quatuor pour piano et cordes de Fauré. Je ne pourrais pas vivre sans.

— Ah bon ! je piaille plus stupide que jamais.

J'oublie surtout de le cuisiner sur Fannie qui a une clé de chez lui alors qu'il fout le camp dans la montagne dès qu'il la voit.

— Lili, dis-moi, est-ce que tu aimes la musique ? Clarisse adorait la…

— Encore un peu de maquereau ?

— Euh, non merci. On passe au dessert ?

Nous grignotons bravement des carrés de chocolat aux écorces d'orange. J'avoue que c'est moyen comme idée après le maquereau au vin blanc. D'autant plus qu'en sortant de la Supérette — après que Laurie a eu l'idée saugrenue de dîner dans la nature — nous avons massacré un paquet de chamallows à toute vitesse en guise d'entrée.

— Tu ne te sens pas un peu mal ?

— Si. Mais je m'en fous, j'ai déjà vomi une fois.

— Et alors ? je crie en oubliant totalement que ma voix part dans les aigus quand je m'exprime sous le coup de la surprise.

— Ne crie pas. Je ne vomis jamais deux fois dans la même journée. Je suis contre. Totalement opposé à ce genre de pratique.

Je me demande s'il se moque de moi. J'ai bien peur que non. C'est bien ce qui m'inquiète chez lui. Il affirme avec sérieux des choses complètement annexes. Genre «peux pas vivre sans musique», «impossible de vomir deux fois dans la même journée». J'attends la suite des révélations. Vraiment. Après je deviens romancière. Mon premier livre s'appellera «le Dingue de la montagne Sainte-Victoire». A mon avis, personne n'imaginera une seconde que je raconte la réalité brute de pomme.

CHAPITRE HUIT

L'état des lieux

Quand Laurie tourne la clé dans la porte de la maison où Dieu merci aucune lumière ne brille, j'ai un instant d'hésitation. La gare, la voiture, le drôle de dîner, tout ça passe encore. Désormais, c'est une autre paire de manches. J'hésite quelques secondes sur le seuil. J'ai l'impression que si j'entre, je ne pourrai plus jamais retourner en arrière.

Une lampe s'allume quelque part. Je discerne un couloir où deux bibliothèques bourrées de livres m'ouvrent le chemin. Plus loin y a-t-il sans doute d'autres pièces. Du moins je l'espère. Le plus étrange c'est que ça fait cinq minutes que je suis plantée là et Laurie n'est pas revenu sur ses pas voir ce qui m'arrivait. J'entends un peu de musique. Je reconnais un piano puis sûrement des violons et là, j'estime que c'est un violoncelle. Sans aucun doute possible. Ça me ferait mal d'être nulle à ce point. Maman me casse assez les oreilles avec ses concertos, ses symphonies, ses récitals et je ne sais quoi d'autre qui me réveillent le matin à sept heures en pleine semaine. Cela dit, je ne vois pas pourquoi elle écouterait ce qu'elle aime uniquement le dimanche midi, comme nos voisins qui mettent de la variété à fond mais seulement le week-end. Dieu merci pour nos tympans. Je souris parce que Maman a même fait circuler une pétition dans l'immeuble pour qu'ils cessent. Personne n'a voulu signer à part la vieille dame du premier, détail assez cocasse quand on pense qu'elle est sourde. Cette fois, je franchis le pas de la porte. J'ai l'image de la tête hallucinée de ma mère dans mon cœur quand elle a su pour la vieille dame sourde, alors il ne peut rien m'arriver. Je fourre mes mains dans mes poches en avançant plutôt lentement. J'entre dans une grande pièce pourvue d'une cheminée, d'un canapé rafistolé et de deux pauvres fauteuils dont la paille surgit par touffes du dossier. Plusieurs caisses de bois, sur lesquelles on a jeté un tissu trop petit pour les recouvrir, tiennent lieu de table basse. A la grande fenêtre se balance au vent un rideau défraîchi qui a dû être rouge. Maintenant il vire quasiment au mauve. On a l'impression que tout a été lavé à quatre-vingt-dix

70

degrés. Les murs vert d'eau sont devenus presque blancs, les tapis rose fané ou marron très clair sont plus que tristes. Voilà un type qui se fiche d'avoir un intérieur coquet ou confortable.

— Au moins c'est propre, je marmonne entre mes dents.

— Tu peux entrer encore un peu, tu sais.

Je m'approche et je découvre Laurie appuyé contre la porte-fenêtre que j'ai loupée dans mon inspection. Tout près de lui, il y a un genre d'alcôve où se niche un piano recouvert de cahiers, de compacts disques, de journaux et de feuilles diverses. Presque collé à lui, se dresse un petit bureau tout aussi encombré, au-dessus duquel une étagère abrite une minuscule chaîne.

— C'est le truc sans lequel tu ne peux pas vivre qu'on entend ?

— Le truc ? Mais c'est un quatuor pour... Oui, en effet.

Laurie m'examine avec curiosité même s'il semble un peu mal à l'aise. Je lui tourne le dos exprès. Pas question qu'il lise sur mon visage, déjà qu'il entend parfois ce qui se trame dans mon esprit. J'aperçois une cuisine de l'autre côté.

— Tu visiteras le reste de la maison demain matin. Même si elle n'est pas immense. Ce soir, il est un peu tard. Je te montre ta chambre et la salle de bains.

Je le suis dans l'escalier :

— Attention aux marches. Le bois est un peu pourri par endroits.

J'évite celle qu'il m'indique. Arrivés au premier, on tourne à gauche.

— Ce sera ta chambre. Non, tu iras après. La salle de bains est là.

Il pose la main sur la poignée de la porte. J'ai la sale impression qu'il n'ose pas ouvrir. Il respire une bonne fois puis l'ouvre en grand.

C'est tout petit. Les murs sont lézardés et des traces d'humidité ont presque tout écaillé. Presque tout car il ne reste que le lavabo et la baignoire intacts. Comme en bas, tout est propre mais les serviettes de bain sont élimées. Une des vitres cassées est remplacée par un bout de carton.

Laurie suit mon regard :

— Ceci rend inutile l'usage du chauffage ici. De toute façon, il ne marche pas.

— On est en été, je déclare d'une voix légère.

J'ai un coup au cœur en repensant au bel appartement aux meubles simples et beaux à Paris. Je revois les murs impeccables, les fenêtres ornées de rideaux soyeux ou épais selon les pièces, et soudain, je crois comprendre. Peut-être qu'il ne s'en fiche pas tant que ça de son intérieur. Peut-être qu'en fait, il n'a pas beaucoup d'argent. Je baisse le nez, submergée par une vague de honte. Et là je vois ses espadrilles rouges usées jusqu'à la corde.

CHAPITRE NEUF

Rubato

Assise sur mon lit, j'ouvre mon calepin. La chambre est petite mais agréable. De la fenêtre, on voit un paysage escarpé où l'on devine une succession d'arbres ainsi que des petits chemins qui montent. Et là, on se prend la montagne en pleine figure. J'examine, suspicieuse, le grand lit en bois sur lequel je me trouve. Sur le mur du fond, une très belle aquarelle montre une scène de concert. Je la regarderai dc plus près demain. Là tout de suite, elle me rendrait triste, je le sais. Je touche du pied un grand trou dans la couverture matelassée. Je découvre qu'un livre dépasse de sous le lit. Je m'accroupis et le tire un peu vers moi. C'est un exemplaire de poche tout abîmé des *Hauts de Hurlevent*. Je le repousse comme s'il me brûlait les doigts. La tête me tourne quand je me relève. Résultat, je m'affale sur le lit. Je griffonne vite sur mon carnet, comme en cachette.

Tout de même, ça me fait un choc. Jamais je n'aurais pensé atterrir dans un endroit pareil. C'est usé, usé, usé. Cette maison a besoin d'un bon coup de peinture du sol au plafond. Elle réclame des rideaux neufs et au moins un canapé correct. Et la salle de bains, je n'en parle même pas! Je sais que je ne devrais pas me comporter comme ça mais ça m'énerve un peu. Comme si j'étais vexée par l'état des lieux. Maman a dit que Laurie était journaliste ou un truc comme ça. Encore il serait un artiste, je ne dis pas. Les tapis devenus tout pâles parce que trop vieux, les couvertures feutrées, ça ressemble un peu à un décor de roman. L'impression bizarre que j'ai, c'est que la maison a toujours été ainsi. D'abord, je n'aurais jamais le courage de lui en parler. Alors autant faire comme si de rien n'était.

On frappe à la porte. Je planque ma prose sous la couverture. Laurie approche avec un gros bol fumant.

— Verveine toute fraîche du jardin. Après le repas de ce soir, il vaut mieux demander pardon à son estomac. Des fois qu'il te déclare la guerre cette nuit.

Il s'assied au bord du lit en me tendant la boisson.

— Tu as tout ce qu'il te faut ?

— Oui merci. C'est ta chambre ici ?

— La vue est jolie, n'est-ce pas ?

— Je l'apprécierai encore mieux demain.

— Tu as raison, nous sommes en pleine nuit. On n'y voit pas grand-chose. Bon… Euh… au fait, tu t'es brossé les dents ?

— Et toi ?

— Pas encore. Je me renseigne parce qu'il paraît que les enfants font tout pour ne jamais se brosser les dents.

— Je ne suis pas une enfant, j'annonce avec hauteur.

— Pardon, ne t'énerve pas. N'hésite pas à dormir tard demain matin. Tu es en vacances après tout.

Je rassemble mon courage : autant lui poser la question tout de suite sinon je ne vais pas arriver à dormir.

— Et toi ? Tu vas aller travailler ?

— Oh non, je suis en vacances aussi. En plus mon bureau est également ici.

— Tu fais quoi exactement ? Maman n'a pas été très claire.

— J'écris des critiques musicales pour une revue spécialisée.

— Il s'appelle comment ton journal ?

— *Rubato*.

— Ça veut dire quoi ?

Il hésite un instant puis me contemple quelques secondes avant de répondre.

— En musique, c'est lorsqu'on laisse une grande liberté à l'interprète pour jouer le passage comme il l'entend. Bonne nuit, Lili.

— Bonne nuit, Laurie.

Dès que la porte s'est refermée, je reprends mon calepin. Je réfléchis quelques secondes. Je pense à Maman. Je me demande ce qui l'a séduite chez Laurie. Elle me manque et en même temps pas vraiment. C'est parce qu'elle est toujours dans mon cœur et que Laurie, lui, il occupe tout mon champ de vision. Je pourrais pas les y avoir tous les deux. Ils ne seraient pas à égalité. Zut ! Je n'ai écrit qu'une page dans mon carnet. Un peu maigre comme journal de bord.

Pour l'instant je suis encore un peu secouée. Je trouve étrange d'être ici, de parler avec Laurie et dormir dans sa maison. D'ailleurs, je suis presque sûre que c'est sa chambre qu'il m'a donnée. S'il dort dans un réduit mal isolé aux murs suintants de l'autre côté du couloir, je pique une crise. Déjà que je me sens coupable d'être née, si l'extraterrestre attrape une maladie respiratoire, toute ma vie est fichue. Bon, ça suffit pour ce soir.

PS.1. Lire Les Hauts de Hurlevent.

PS. 2. J'ai trouvé le terme précis qui illustre ce que je suis en train de vivre. Rubato. *Cette ambiance, cet endroit et Laurie sont extrêmement* rubato. *On ne sait pas exactement à quoi s'attendre, comment interpréter les choses ou les paroles, tout est un peu suspendu. Comme libre d'être compris comme on le veut.*

Sur ce, extrêmement satisfaite de mon analyse de la situation, j'éteins la lampe. Je n'oublie pas de me souhaiter une bonne nuit sur un ton très gentil, comme chaque fois que je me sens un peu angoissée.

CHAPITRE DIX

Une gêne trop encombrante

Lorsque j'ouvre les yeux, il est onze heures passées à ma montre. Je tends l'oreille. Aucun bruit. C'est le moment, me dis-je. Je me lève et, comme promis, j'inspecte la reproduction aperçue hier soir. Il s'agit d'une scène de concert. Sur un papier jaune pâle, un musicien debout serre son instrument contre lui. Il est comme un grand trait noir sur le papier, une espèce de chauve-souris qui s'étire sans fin, un serpentin sombre qui voudrait effleurer le ciel. C'est à la fois triste et immense. Comment pourrait-on toucher le ciel avec seulement quelques notes de musique ? En même temps, à la réflexion, ça ne me paraît pas aussi impossible que cela. Rudement mal à l'aise, je passe à la phase B de mon plan de ce matin. Je sors mon portable et j'appelle Sidonie Trompette illico.

— Allô ? C'est Lili.

— Lili ! Comment ça va ? Je vois que tu as survécu. Alors, raconte ! Comment est-il ?

— L'extraterrestre ? Je ne sais pas trop. Je n'arrive pas à me faire une idée. Quand je le trouve antipathique, je m'aperçois que c'est une impression fausse. Et quand il est bien, je n'arrive pas à y croire non plus. Vous savez, Sidonie, en réalité, Laurie est... est... un extraterrestre.

— Bienvenue à la case départ !

— Comme vous dites, je murmure dépitée. Et vous ?

Elle soupire longuement avant de répondre.

— Je suis contente de rentrer à la maison mais comme toujours, au bout de cinq minutes je m'ennuie. J'ai tout nettoyé, aéré, épousseté. Il ne me reste plus qu'à remettre du désordre. Infernal comme vie, infernal, marmonne-t-elle.

— Sidonie, est-ce que vous connaissez un journal qui s'appelle *Rubato* ?

— Non, ça ne me dit rien. De quoi ça parle ?

— De musique. Laurie écrit dedans. A mon avis, il est très mal payé.

— Pourquoi ?

Je m'affale sur le lit et je triture le trou dans la couverture matelassée, à moitié gênée et à moitié honteuse. Totalement embarrassée serait plus exact.

— Ce n'est pas que c'est pas bien ici... Au

contraire, les paysages et la montagne Sainte-Victoire... et puis j'ai vu de ces couleurs ! Extraordinaires, vous ne...

— La maison, déclare Sidonie d'une voix entendue.

— Non ! je proteste, elle est charmante... mais tout est... un peu abîmé. Les fauteuils sont dans un sale état et la salle de bains, elle est assez... assez inconfortable.

— Est-ce que c'est vraiment important ?

— Non bien sûr mais je ne sais pas, ça m'agace. J'aimerais savoir...

Alors là, Sidonie tombe des nues :

— Mais savoir quoi ?

— Je ne sais pas. En fait, j'aimerais en savoir plus sur lui.

— Alors demande. Pose des questions. Il s'y attend à mon avis. Tes interrogations ne tomberont sûrement pas dans l'oreille d'un sourd.

Soudain la voilà qui glousse :

— A moins qu'il ne soit complètement bouché !

Elle arrive à m'arracher un sourire avec sa bonne voix joyeuse et son humour à trois francs. Je lui suis reconnaissante parce qu'elle me décrispe avec juste quelques mots.

— J'ose pas trop, Sidonie. Peut-être que je peux rencontrer Fannie et la cuisiner ?

— Qui est-ce celle-là ?

— La petite amie de Laurie. Si j'ai bien compris, il n'en est pas fou amoureux. Hier soir, elle était là alors on a fichu le camp. On s'est carapatés parce qu'il ne voulait pas la voir.

— Il est curieux ce garçon.

J'entends de la musique qui monte par vagues du rez-de-chaussée.

— Sidonie, il faut que je vous laisse.

Je lui donne mon numéro de portable en lui recommandant de m'appeler si elle en a envie. Une fois que j'ai raccroché, je me sens seule et fatiguée. Quelque chose pèse lourd sur mes épaules mais je ne sais pas quoi exactement. Juste un genre de malaise ou une gêne trop encombrante.

Après un passage calamiteux à la salle de bains, je descends comme si j'allais sur la scène d'un théâtre archicomble où le public m'attend avec une provision de tomates pourries. J'entends des bruits de bol et de cuillères qui s'entrechoquent dans la cuisine.

— Salut ! crie Laurie. Bien dormi ?

J'avance à petits pas comme une vieille dame craintive.

— Très bien merci. J'ai eu du mal avec le silence. Au début c'est un peu effrayant.

— C'est toujours comme ça quand on débarque à la campagne. La paix est effrayante. Après, quand on comprend qu'on y a droit, tout va mieux. Qu'est-ce que tu veux pour ton petit déjeuner? Du café, du thé ou peut-être du lait?

Je tire une chaise et je m'installe en évitant son regard.

— Comme toi.

— Alors du thé sans sucre.

— Euh non, avec.

Du coin de l'œil, je vois une bouilloire qui siffle tandis que Laurie lui-même siffle pour combler le silence. Je me dis qu'il est gêné. Pourtant, il s'approche et s'assied. Il pousse un bol vers moi et déguste son thé en me contemplant les yeux plissés comme au café après la gare. A propos de gare, je me demande si c'est là qu'il a ramassé les minuscules plaquettes de beurre et les morceaux de sucre enveloppés dans du papier. Ou peut-être est-ce le genre à chiper dans les cafés. Les gens qui prennent leurs boissons sans sucre le ramassent peut-être dans les lieux publics en prévision des invités qu'ils reçoivent chez eux. Je beurre une tartine et je vois ma main qui la lui tend. Heureusement pour moi, il la prend sans chichis ni merci. J'essaie de faire la

conversation parce que, avec lui, j'ai l'impression
que je peux toujours courir. Il parle quand il y est
obligé ou quand il en a envie, ce qui doit être plutôt rare à mon avis.

— On fait quoi aujourd'hui ?

— Ah, moi, je vais aller au marché. Mais pas tout
de suite. Dans une petite heure.

— Je peux venir ?

Il se trémousse sur son siège. La petite grimace
qu'il fait ne m'échappe pas.

— Si ça ne te dérange pas, je rajoute.

— Oh non, pas du tout. Mais tu pourrais rester
tranquillement ici. Te balader pas loin ou lire ou
écouter de la musique. Il y a plein de CD. Enfin des
CD de musique classique. Peut-être que tu n'aimes
pas.

— Si des fois. Maman en écoute tout le temps.

Il se penche, intéressé.

— Quoi par exemple ?

Je fais un effort de mémoire. Soudain, ça me vient
et je balance :

— Les suites pour violoncelle seul de Bach.

Je regarde le bol renversé, le visage de Laurie où
est passée un instant une sorte de terreur. Ou peut-
être ai-je rêvé. C'est sûrement mon imagination qui
me joue des tours. Pourtant, il m'a bien semblé qu'il
était déstabilisé ou du moins troublé. Il se lève tout

de suite. Dos tourné, il attrape l'éponge dans l'évier puis essuie le thé renversé.

— Ce que je suis maladroit. Ou mal réveillé peut-être.

Cette fois-ci, je suis décidée. Je n'ai plus peur, je n'ai plus le cafard. «Je suis résolue à», comme dirait Maman. J'irai au marché et je saurai qui est Laurie. Point. Je ne partirai pas d'ici avant.

Je joue avec des gravillons dans la cour devant la maison. Mon portable collé à l'oreille, j'écoute bien tout. J'essaie de savoir. Maman va peut-être lâcher une information, commettre une imprudence. Enfin si elle est au courant de quelque chose.

— Mais oui, je vais bien. Ça fait quatre fois que je te le dis, Maman. Et toi?

— Ça va. Comme un dimanche.

— Tu écoutes les suites pour violoncelle?

— Quoi?

La légère inquiétude dans sa voix ne m'a pas échappé. Et là, je m'énerve.

— Qu'est-ce que tu écoutes?

— Pas Alanis Morrissette en tout cas!

— Clarisse! Qu'est-ce que tu écoutes?

— Pourquoi? Depuis quand ça t'intéresse?

— Depuis maintenant! Maman?

— Oui je suis là.

— Il y a un truc avec la musique et Laurie, pas vrai ? Et toi tu sais. Tu veux pas me le dire ? Tu trouves que tu ne m'as pas assez caché de choses comme ça ?

— Ecoute, Lili, ce n'est pas à moi de le dire.

— Mais me dire quoi ? je hurle. Me dire quoi ?

Blanc. Quand elle a cette attitude-là, on ne peut rien en tirer. Plus on la houspille, plus elle se planque comme les tortues se réfugient dans leurs carapaces quand ça barde pour elles. Je soupire lourdement.

— Vous commencez à m'agacer tous les deux avec vos mystères, tu sais ?

— Désolée, chérie, dit-elle fermement. Je n'ai rien à ajouter. A part que je t'aime et que je te fais plein plein de bisous.

— Moi aussi, je dis entre mes dents. Moi aussi je te fais plein de bisous.

Cela dit, tu ne perds rien pour attendre. Attends un peu que je rentre à Paris, ça va chauffer pour toi.

CHAPITRE ONZE

Ce n'est pas la mort du petit cheval

Dans le salon, j'ai posé la question à Laurie en résumant au maximum ma pensée.

— J'ai une suite de mots dans la tête qui se télescopent. Le malheur c'est qu'ils ne forment pas une phrase, j'annonce d'un ton que je voudrais menaçant.

Laurie se laisse tomber sur un des deux fautcuils pourris.

— Aïe ! grimace-t-il en se massant le dos.

Il allume une cigarette et m'examine. Il me jauge du genre pour deviner si je suis digne de confiance. Pour lui signifier que oui, je me tiens bien droite, le regard franc et le menton volontaire.

— C'est à cause de tout à l'heure ? Quand j'ai lâché mon bol quand tu as parlé des suites pour violoncelle seul ?

Je hoche la tête sans le quitter des yeux. Dès qu'il

95

fait son numéro, je le traque avec mes pupilles. On verra bien si je sais lire sur un visage.

— Il n'y a aucun mystère là-dessous. Quand j'ai rencontré Clarisse, j'étais élève au Conservatoire. Je venais de passer un sale moment. Le pire de ma vie, même.

Au moins, le pire de sa vie n'est pas mon existence. C'est déjà ça.

Il respire un bon coup, croise les jambes puis les décroise.

— Mon prof m'avait parlé cet après-midi-là. C'était une drôle de discussion.

— Quoi ? Qu'est-ce qu'il t'a dit ?

— Que je ferais un bon violoncelliste à force de travail. J'étais bon élève mais pas des plus doués. Voilà ce que j'ai compris. J'ai quitté le Conservatoire définitivement dix minutes plus tard.

Je secoue la tête, incrédule.

— Tu as abandonné parce qu'un type t'a donné son avis ? Un seul avis t'a fait changer ta vie ? Tu imagines une seconde que ton prof se soit trompé ? Qu'en réalité il te déteste et que...

— C'était un homme formidable auquel je faisais confiance à cent pour cent. Je lui aurais confié ma vie sans hésiter. J'ai tout de suite senti qu'il avait raison. Et moi par orgueil, par lâcheté aussi, j'en ai aussitôt tiré les conséquences. J'ai pris mes cliques et mes claques et j'ai foutu le camp. Je voulais être talentueux sinon rien. Je n'avais aucune envie de végéter au sein d'un orchestre de seconde zone où je jouerais les figurants.

Je n'aime pas la petite nuance de mépris dans sa voix, l'hésitation et la fatigue me sont plus familières. Je les connais, ce sont les miennes, il me les a transmises en même temps que quelques gènes.

— Mais après ? Qu'est-ce que tu as fait ?

Il s'agite dans son fauteuil, à nouveau un léger frisson le traverse comme un haut-le-cœur lorsqu'on sent que la grippe va vous tomber dessus. Bizarrement, il sourit jusqu'aux oreilles. Un sourire que je sens aussi faux que je m'appelle Lili et que je n'avais jamais vu mon père de ma vie il y a quarante-huit heures encore.

— Qu'est-ce que tu as fait ?

— Une dépression.

— Ah… Ça a duré longtemps ?

Il se lève et enfile une veste.

— Dix ans. Tu viens ? On va au marché, c'est l'heure.

Dans la voiture, ça se bouscule dans ma tête. Je n'arrive pas à savoir pourquoi je me sens si contrariée. J'en veux à quelqu'un. Le problème est que ce n'est ni à ma mère, ni à Laurie. Alors à qui ?

— Ecoute, arrête de faire cette tête, d'accord ? Ce n'est pas la mort du petit cheval quand même.

— C'est juste que ça fait plein de choses en peu de temps. J'essaie d'emmagasiner les informations que Maman et toi vous me donnez au compte-gouttes. Exprès pour me rendre dingue. Afin que je ne suive plus du tout l'histoire, tu comprends ?

Laurie rit de bon cœur.

— On n'est pas dans un film d'espionnage. Si tu as des questions, je peux te répondre. Lili, je sais que ce qui t'arrive est à la fois difficile et étrange.

— Je ne sais pas quoi penser. Je ne sais plus ce que je ressens. Juste un genre de douleur quand...

— ... quand tu me regardes.

— Oui, je dis dans un souffle. Quand je te regarde.

— Je ne peux pas t'aider.

— Je crois que j'ai bien compris. Ça au moins, je l'ai compris.

Ce silence triste dans cette campagne si belle me broie le cœur, il empoisonne l'atmosphère de cette journée radieuse. Je déteste Laurie d'être aussi tranquille. Il me parle comme si j'étais une auto-stoppeuse ramassée au bord de la route. J'ai la nausée d'être la fille d'un homme pareil. Il n'a pas d'âme c'est sûr, ou alors elle est toute noire. Il se tourne une seconde vers moi, nos yeux se rencontrent un instant. J'y mets tout le mépris que je trouve en moi. Il détourne le visage. Les yeux fixés sur la route, il murmure d'une voix sans timbre :

— Je ne sais pas parler de moi mais si tu veux, on joue au questionnaire de Proust.

Je me détends malgré moi. Ça, ça m'amuse. Sauf que je ne le connais pas par cœur ce satané questionnaire.

— J'improvise un peu, je ne me souviens pas de toutes les questions. On fait un mélange de portrait chinois et de questionnaire de Proust, d'accord ?

— Entendu. Vas-y.

— Le principal trait de ton caractère ?

— Une certaine misanthropie. Disons que j'évite le plus possible la compagnie des êtres humains.

— Ça va merci, je ne suis pas demeurée, je sais ce que c'est. La qualité que tu préfères chez les autres ?

— Leur silence. La qualité de leur silence, si tu préfères.

— Le pire défaut qui soit ?

— L'impolitesse. La soumission aussi. Et la peur également.

— La peur ? Pourquoi ?

— Parce que quand on a peur, on devient comme un animal. On est pris dans un piège d'où on ne sait plus sortir.

— La chose que tu détestes le plus au monde ?

— Le bruit.

— Tu es obligé de choisir une catégorie socio-professionnelle. Laquelle ?

— Quoi ?

— Réponds !

— Les sourds-muets.

— Ce n'est pas une catégorie socioprofession-nelle !

— Bon, les musiciens.

— Si tu étais une maison ?

— La mienne.

— Si tu étais un moyen de locomotion ?

— L'Orient-express.

— Si tu étais une ville ?

— Londres.

— Si tu étais un fruit ?

— Une mangue.

— Si tu étais un animal ?

— Un hibou. J'adore les hiboux.

— Si tu étais un héros de la littérature ?

— Merlin.

— Si tu étais un livre ?

— *Les Hauts de Hurlevent*.

— Le trésor le plus précieux au monde ?

— Le sommeil.

— Si tu étais un personnage célèbre ?

— Shakespeare.

— Si tu étais une couleur ?

— Le gris-bleu.

— Le gris OU le bleu. Choisis !

— Non.

— La façon dont tu aimerais mourir ?

— Sans m'en apercevoir.

— La façon dont tu aimerais vivre ?

— En paix avec moi-même.

— J'ai plus d'idées. Tu crois que c'est possible d'être en paix avec soi-même ?

— Ah ! Je vois que l'interrogatoire est terminé. Ça tombe bien, on arrive.

Il se gare devant la grande place du marché. Le problème c'est qu'il n'y a presque plus personne. Laurie sort de la voiture tout en répondant à retardement à ma question :

— Il faut essayer. Ça vaut la peine de se pardonner ses propres fautes, ses propres erreurs. Sinon on est bloqué dans une espèce d'impasse insupportable. On se pourrit la vie et après ça fait des ricochets.

— Pardon ?

— Je veux dire qu'on gâche aussi celle des autres.

Je marmonne vaguement. En réalité, je n'ai pas assez rusé dans mes questions. J'ai l'impression que j'aurais dû le déstabiliser davantage.

— La fleur que tu préfères ? je lâche un peu en désespoir de cause.

Laurie s'immobilise un instant. Il sourit, il me sourit vraiment. Puis il ôte son espadrille et chasse un petit caillou qui s'est glissé dedans.

— Le lys, déclare-t-il.

Alors là, je suis un tout petit peu émue, je dirais. En fait j'ai le cœur qui se serre vaguement. Parce que bien que je sois nulle en anglais, je sais parfaitement que le lys c'est « Lily » dans la langue de Laurie.

CHAPITRE DOUZE

Qu'est-ce qu'un poivron ?

— On a raté le marché, on dirait.

— Mais non, Lili.

Alors là, j'ai bel et bien la berlue. Il a perdu les pédales. Il vit complètement dans l'hyperespace. Même un enfant verrait qu'on arrive après la guerre. Seuls un ou deux commerçants s'agitent. Et encore c'est pour charger leurs marchandises dans leurs camions. A moins qu'on les supplie, ils ne vendront rien. Il y en a un qui nous fonce dessus dès qu'il nous repère.

— Salut, Laurie. Tiens, je t'ai gardé des crevettes. Et deux citrons et un bouquet de persil en prime. Mais tu les manges vite, les crevettes, hein ? N'attends pas demain.

— Pour le déjeuner de ce midi, ça ira ? demande Laurie plutôt amusé.

Le poissonnier se tourne vers moi.

— Salut. Je suis Ferdinand.

— Moi c'est Lili.

— Enchanté. Bon, je vous laisse les enfants. Il faut que je remballe presto.

— Merci. A la semaine prochaine, Ferdinand, le salue Laurie.

— O.K. Pas de problème.

Je regarde juste devant moi le stand que Ferdinand commence à démonter. Par terre, il n'y a plus que des fruits à moitié pourris et des légumes abandonnés. Je trouve que c'est très triste un marché fini. C'est comme une fête à laquelle on arrive quand tout le monde est parti. J'imagine qu'on va aller déjeuner dans un café ou faire des courses à la Supérette de la place. D'ailleurs Laurie discute déjà avec la vendeuse qui lui remet une baguette. Le pain sous le bras, il revient dans ma direction. Je reste figée sur place tandis qu'il se baisse. Il trie des courgettes par terre avant d'en ranger deux dans un sac en plastique.

— Tu m'aides, Lili ?

— A quoi ? je balbutie bêtement.

Laurie se lève, vient vers moi et me prend par le bras.

— Tiens, prends ce sac. Tu examines avec attention les fruits par là-bas. Puis tu ramasses ceux qui sont encore mangeables, d'accord ?

Il me plante là avec le sac qui frémit au vent. Pétrifiée, je le suis des yeux. Accroupi, il tripote un oignon rouge, fait la grimace puis attrape deux petits oignons blancs. Le soleil soudain tape très fort sur mon crâne. J'ai la gorge sèche puis qui se serre. Je déglutis, je me dirige comme un automate vers quelques pommes de terre. A genoux, j'en saisis une entre mes mains qui tremblent.

— Oh, celle-là, elle est pas mal, dis-je à haute voix. Celle-ci, en revanche, elle est bonne pour la poubelle.

J'aperçois alors un gros poivron jaune qui me fait les yeux doux. Une partie est devenue un peu marron mais le reste est parfait. Jaune d'or étincelant et qui tire un peu sur l'orange lorsque le soleil tombe dessus. Un orange chaud et beau. J'ai l'impression que c'est la première fois que je vois un poivron de ma vie. Il me semble que je n'avais jamais vraiment regardé un poivron jusqu'à maintenant. C'est une sorte d'expérience philosophique fracassante. Je veux dire qu'est-ce que vraiment un poivron ? En ce qui concerne le raisin, je recule. L'odeur rance m'apprend tout de suite que le combat est perdu. J'avance de quelques mètres et là, c'est comme un cadeau du ciel.

— Hé ! Laurie ! Viens voir !

— Quoi ? dit-il en approchant à grandes enjambées.

Je lui tends trois minuscules tomates branchées, comme neuves, rouge flamboyant et pas une ride ni une seule tache de pourriture.

— Extra ! s'écrie-t-il.

Je cligne les yeux à cause des rayons du soleil qui me brouillent un peu la vue et je me maudis d'être émue par quelqu'un qui n'a pas l'air d'être ému par quoi que ce soit.

CHAPITRE TREIZE

Le bonheur des mélodies
pour trois fois rien

Je me sens mal à l'aise et, du coin de l'œil, je vérifie que Laurie lui non plus n'est pas trop en forme. Ses mains sont crispées sur le volant. Il fait beau, le paysage est splendide et le ciel heureux mais rien ne chasse l'espèce de gêne entre nous. Soudain, il se gare sur le bas-côté.

— Très bien. Ça suffit maintenant. Je te serais très reconnaissant si tu quittais ton air de martyre, Lili.

— Quoi ?

— Ça m'énerve. Si tu as honte c'est ton problème, pas le mien.

— Mais je n'ai rien dit !

— Tu n'en penses pas moins. Et le pauvre, et comment en est-il arrivé là, et combien d'argent de poche je pourrais lui verser tous les mois pour qu'il s'en sorte et les allocations chômage alors ? Ne proteste pas, je suis sûr que c'est à peu près dans cet ordre que ça se passe dans ta petite tête.

Je ne réponds rien ; pas besoin de confirmer puisqu'il sait déjà.

— N'est-ce pas ? insiste-t-il froidement.

— Oui.

— Bon. Alors sache que je suis moins à plaindre que des tas de gens. Parce que si je vis de cette façon, j'ai eu le choix à un moment. Et j'ai choisi. Si c'était à refaire, je prendrais la même décision. J'ai refusé un certain nombre de choses et...

— Lesquelles ?

— Il y a deux ans, j'ai perdu mon emploi dans une maison de disques pour laquelle je travaillais. En réalité, j'ai plutôt claqué la porte, je dirais. Ils avaient pensé à un projet dont ils voulaient que je m'occupe.

Il sort de la voiture. Je le suis, un peu moins chamboulée, un peu plus intriguée. Il grimpe là-haut sous le soleil. Il saute sur un rocher puis gravit un petit monticule moins élevé, il s'arrête un peu, continue son histoire.

— Le label s'appelait « Très Grand Public ». L'idée c'était de recruter des crétins pour chanter des airs d'opéra avec arrangements modernes, jette-t-il d'un ton plein de mépris. Genre l'autre chanteur de soupe italienne... « L'abruti qui croit chanter Verdi ». Il chante comme une casserole mais ça plaira aux foules, tu vois le genre ? Vendons le doux bonheur des mélodies au peuple mais pour trois fois rien. Faisons faire le trottoir à la musique, les passants seront contents et nous, en plus, on ramassera plein de fric. J'ai refusé. Je préfère mourir.

Je le regarde et je le vois tout de suite. Il ne plaisante pas du tout. Plutôt impressionnée, je baisse les yeux sur mes baskets. Je n'ai pas l'habitude d'avoir des principes irréductibles. Du moins, je n'en ai pas encore eu l'occasion. Laurie me prend en pitié et précise sa pensée.

— On n'est pas obligé de refourguer de la camelote aux gens pour qu'ils se sentent cultivés et bien dans leurs pompes. Je trouve que c'est méprisant pour tout le monde.

Il sort des cigarettes et en allume une.

— Je peux en avoir une aussi ?

Laurie fronce les sourcils.

— S'il te plaît. Juste une.

Il m'en tend une mais je vois qu'il n'est pas très content.

— Continue, je lui dis d'un ton ferme que je ne me connais pas.

— Je ne parle pas bien sûr de la très grande misère. Mais quand on a le fric pour s'acheter des Nike à mille balles, on l'a aussi pour acheter des CD de musique classique ou pour se rendre à des concerts. On ne me fera pas croire le contraire. Il suffit d'avoir envie. Le problème c'est que la curiosité ne s'achète pas. Elle se trouve en chacun de nous ou pas. Ce n'est pas une question de culture ni de niveau social du tout mais de désir. Celui de choisir ce qui te fait rêver, pas ce que les autres ont décidé pour toi. Qu'importe ce qu'on écoute, qu'importe qui on est... Tant qu'on peut croiser son reflet dans une glace sans trop de regrets... C'est simple, Bon Dieu, la vie est simple.

Il regarde au loin, les mains sur les hanches. Sous un soleil de plomb, il domine Avignon, tout seul, avec ses espadrilles rouges usées et son air rageur.

— Donc tu as démissionné?

— Oui. J'étais payé comme consultant, pas comme salarié. Du jour au lendemain, je n'avais plus rien. Pas d'argent, je veux dire. Le reste, ça va. Je l'ai dans mon cœur. Et ce n'est pas à vendre.

Le ton est tranquille mais menaçant. Il avertit de quelque chose, comme si il prévenait qu'il y avait un endroit caché en lui auquel je n'avais pas accès. Peut-être même que nul n'y avait accès. Et je n'ai rien à ajouter. Personne d'ailleurs.

J'écrase ma cigarette à demi consumée.

— Je ne suis pas près de fumer une seconde cigarette de ma vie.

Je recule un peu parce que Laurie s'avance. Il me prend les mains et me regarde, comme s'il s'apprêtait à dire quelque chose de capital. Je tends l'oreille malgré la nausée de la cigarette, la chaleur et la confusion qui règnent dans mon esprit.

— Tu sais, Lili, je ne pourrai jamais t'offrir un tricycle ou ta première glace parce que c'est trop tard. Je n'ai pas pu être là quand tu as eu du chagrin ou des cauchemars la nuit. Mais il y a quelque chose que je veux absolument te donner. Peut-être que ce n'est pas important pour toi...

— Dis toujours.

— Ne crois jamais que les belles choses sont réservées à qui que ce soit. Elles n'appartiennent qu'à ceux qui les aiment. Et sois sûre qu'on en a besoin dans le monde dans lequel nous vivons. Tous.

CHAPITRE QUATORZE

Une réponse à la Laurie

Dès que nous sommes rentrés, j'ai résisté à l'idée de m'enfermer dans ma chambre. J'étais comme qui dirait dépassée par les événements.

En coupant en fines lamelles le poivron jaune, je réfléchis. Je ne sais pas si Laurie est ce qu'on appelle un rebelle mais je le trouve courageux. Moi je ne le suis pas du tout. Je suis une sage jeune fille qui habite dans un chouette appartement avec une mère dans l'ensemble plutôt épatante. Je n'ai pas de problèmes d'argent, ni de conscience. Par moments, je ressens de la gêne quand je vois quelque chose qui dérange mon petit confort sur un écran de télé, mais à part ça, je suis le mouton moyen. Ni monstre, ni ange ; juste quelqu'un de gris souris. Pour l'instant, je n'ai jamais eu à choisir vraiment une vie ou une autre. Je suis les rails que Maman pose pour moi depuis que je suis née. Mon seul traumatisme est que j'ai marqué, pendant des années, sur l'emplacement réservé à la profession du père à la rentrée scolaire la mention « décédé ». Je sais aussi que le temps perdu, on ne le rattrapera jamais Laurie et moi. Et là, j'en veux soudain à mort à ma mère. Je la déteste de loin, je la hais une seconde de m'avoir privée de Laurie toutes ces années.

— On va faire une omelette avec les légumes ?

— Des pâtes, me renseigne Laurie. Une sauce tomate où on jettera une pluie de lamelles de poivrons, de rondelles de courgettes, de carrés de pommes de terre… Des tas de couleurs magnifiques à manger.

— Mais les crevettes ! On doit les manger vite a expliqué Ferdinand.

— On les mange à midi. Mouillées de curry puis grillées au barbecue et dehors. La sauce tomate c'est pour ce soir. Fannie vient dîner. Ça ne t'ennuie pas ?

— Ça devrait ?

Son visage se fend d'un sourire.

— Voilà une réponse à la Laurie. Non, ne t'inquiète pas. Tout ira bien.

Je l'espère pour lui. Parce que s'il y a encore une nouvelle révélation à table, je pique une crise de nerfs.

Nous déjeunons dans le jardin. Je mordille une crevette grillée qui sent bon la coriandre, et les grains de curry piquent ma gorge d'une petite pointe inattendue. Assis sur une nappe sous le tilleul, nous goûtons une relative tranquillité. Je me dis que le silence, en réalité, ce n'est pas gênant. Du moins, il y a des gens avec lesquels il n'est pas gênant. C'est peut-être ce qu'on appelle être bien avec quelqu'un.

— Tu veux faire quoi plus tard, Lili ?

— Je ne sais pas trop. Enfin, si. Je voudrais être juge des enfants, dis-je en évitant son regard.

Soudain un moteur pétarade en bas du petit chemin. J'en avale ma crevette de travers.

— Qui ça peut bien être ? s'étonne Laurie en me tapant dans le dos.

— Je vais voir.

Mains sur les hanches, je n'en reviens pas. Une petite silhouette affublée d'un énorme chapeau de paille rouge monte vers moi.

— Coucou vous deux ! dit-elle en agitant la main.

— Qui est-ce ? demande Laurie qui m'a rejointe. Je ne connais pas cette personne.

— Moi si. Elle s'appelle Sidonie Trompette.

Elle s'évente avec son chapeau en s'asseyant à côté de nous.

— On n'a pas idée d'habiter si loin! râle-t-elle. J'ai dû me farcir toutes les maisons en sortant du village. Je suis une amie de Lili. Je m'appelle Sidonie Trompette. Et sans commentaires.

— Je ne me permettrais pas, dit Laurie.

Sidonie regarde la maison puis soudain plonge ses yeux dans les miens.

— Je suis venue parce que j'avais envie. Ça te pose un problème?

— Non.

Je me tourne vers Laurie en hésitant un peu.

— Il n'y en a aucun pour moi non plus. Avez-vous déjeuné, madame Trompette?

— Oui, dans un truc infect au bord de la route. La maison est à vous ou vous la squattez? enchaîne-t-elle avec aplomb.

Laurie me jette un regard en coin. D'ailleurs, il sourit en coin aussi.

— Mon père me l'a donnée pour se faire pardonner de m'avoir foutu à la porte.

— Quoi? je glapis d'un ton strident.

— Lili! Ne crie pas. Quand il a appris que je quittais le Conservatoire, il m'a traité de tous les noms. Je vous passe les détails.

— Mais ta mère? Elle n'a rien dit?

Ça me paraît dingue qu'on inflige une sanction pareille à son propre enfant.

— Maman qui est du genre plutôt lâche m'a offert son piano pour se faire pardonner de ne pas être d'accord avec mon père et surtout de n'avoir pas osé s'opposer à lui. Tant pis pour elle. Qu'elle se débrouille avec sa conscience. Bref, ils m'ont coupé les vivres.

Vivement intéressée, Sidonie se penche vers lui.

— Passionnant ! Qu'est-ce que vous avez fait ?

Il éclate de rire en avalant une crevette d'une seule bouchée.

— Je l'ai habitée cette satanée maison ! J'étais content de rentrer après un chantier ou des marchés dans la région. C'était avant que Fannie ne me présente aux gens de *Rubato*. En fait j'aimais bien avant. J'ai vendu des bijoux à des jeunes filles le dimanche, repeint un grand mas dans le sud d'Avignon un hiver entier, et vendu des saumons et des coquillages. C'est comme ça que j'ai connu Ferdinand.

— Qui est-ce ? me demande Sidonie.

— Celui qui nous a donné ces délicieuses crevettes.

— Je ne comprends pas tout, bougonne Sidonie, mais je constate que vous avez bonne mine et l'air plutôt heureux.

Alors ça m'échappe d'un coup, d'une voix ferme presque orgueilleuse.

— Bien sûr qu'on l'est.

— Je parlais à Laurie, rectifie Sidonie gentiment.

Soudain c'est le silence. Je n'ose plus du tout lever la tête parce que je suis sûre d'être rouge pivoine. Mais même les yeux fixés sur la petite fourmi qui s'approche de ma main, j'entends pourtant très bien Laurie.

— Lili et moi sommes très contents que vous soyez venue nous voir. Voulez-vous rester dîner ce soir ? Vous nous feriez extrêmement plaisir.

CHAPITRE QUINZE

Une Colombine toute maigre au visage d'ange

Sidonie Trompette sort de la salle de bains avec une tête de six pieds de long.

— C'est insalubre ! Je contacte les services sanitaires dès que possible.

— Sidonie ! Chut ! Venez dans ma chambre.

Son sac serré sous son bras, elle se laisse tomber sur le lit en jetant des regards soupçonneux de tout côté.

— S'il y a des rats, je préfère le savoir tout de suite. Comme ça la prochaine fois au lieu d'apporter une bouteille de vin, je viens avec mon raticide. Proprement ahurissant ! Ce n'est quand même pas un monde de passer un coup de peinture et de... Quoi ? Qu'est-ce que j'ai dit ? Qu'est-ce qu'il y a, Lili ?

Je m'installe à côté d'elle et je lui raconte notre

marché suivi de la petite discussion avec Laurie dont je fais un bref résumé.

— Nom d'un petit bonhomme ! s'exclame-t-elle. Ce garçon est surprenant au dernier degré. Pas de chance, Lili.

— Pourquoi ? je réplique d'un ton acerbe.

Elle sort son poudrier et s'examine avec une grimace de dégoût.

— Un jour, j'aimerais avoir la grande joie d'apercevoir mon reflet d'il y a vingt ans. Bon, ce n'est pas grave, ce sera pour une autre fois.

— Pourquoi ce n'est pas de chance ?

— Parce que, dit-elle en refermant son poudrier d'un coup sec, tu hérites — si je puis m'exprimer ainsi — d'un père un peu compliqué.

— Je n'ai pas de père. J'ai rencontré un type inattendu et il se trouve que par inadvertance, c'est censé être mon père.

— Des clous ! Tu ne me feras pas avaler ça.

Je m'interroge suite à cette constatation sans appel. Je vois bien que je ne sais plus où j'en suis. Comme si je changeais et que moi non plus, je ne voyais pas tout à fait ce que j'aurais voulu voir dans mon poudrier intérieur. Chose inattendue, je n'éprouve pas le besoin d'appeler Maman au secours. J'ai l'impression que ce que je vis ne la regarde pas. Pas pour l'instant du moins.

— Vous avez raison. Mais je ne regrette pas d'être venue.

— Je sais bien. Sinon tu aurais fichu le camp par le premier TGV dès que possible. Bon, qu'est-ce qu'on fait ? Si on allait faire des courses décentes ?

— Il va mal le prendre. Et moi aussi. Ne nous poussez pas à bout. Nous avons beaucoup d'orgueil tous les deux.

— Voyez-vous ça, miss Susceptible. Tu comptes t'inspirer de lui pour ta vie future ?

— Pourquoi pas.

Sidonie lève les bras au ciel.

— Ah ! les adolescentes, mon Dieu quelle plaie ! Grandis vite, Lili, je ne sais pas si je vais tenir le choc longtemps. Je ne sais pas pourquoi mais les conversations avec toi m'épuisent. Va-t'en ! J'ai besoin d'une sieste.

Sidonie se repose dans ma chambre pendant que Laurie et moi préparons le dîner.

— Où l'as-tu connue, cette dame ? demande-t-il l'air de rien.

— Dans le train. Elle est experte psychiatre à la retraite.

— C'est quoi le rapport ?

129

— Aucun. J'essaie de te donner des informations sur elle. C'est un peu décousu mais je…

Je me retourne parce que quelqu'un cogne à la fenêtre. Dans le jardin, une fille blonde danse d'un pied sur l'autre avec un grand sourire.

— Entre, Fannie, lui crie Laurie. Ne fais pas tant de manières.

Il agite une tomate vers la fenêtre en disant à mon attention :

— Quelle hypocrite ! Quand on sait qu'elle m'a chipé la clé pour en faire un double à mon insu. Elle ne manque pas d'air de frapper au carreau.

Elle arrive quelques instants plus tard. Elle est très grande, les cheveux blonds coiffés court et d'immenses yeux gris-bleu qui lui mangent le visage. Le plus surprenant ou le plus affolant devrais-je dire est sa peau. Elle est si transparente que par moments on voit de minuscules vaisseaux violets autour des yeux. On dirait qu'elle est en porcelaine ou quelque chose comme ça.

— Bonjour, Lili. Je suis… enfin tout le monde m'appelle Fannie.

— Bonjour, Fannie.

Elle a l'air tellement mal à l'aise que je m'avance et je lui colle deux grosses bises. Du coup, elle se sent mieux. Elle s'approche de Laurie et l'enlace. Il se dégage aussitôt.

— Oh non ! Pousse-toi. Il fait trop chaud !

Elle fait un petit bond de souris ou de carpe. Rouge comme une écrevisse, elle fouille dans son grand cabas et en sort une cartouche de cigarettes. Elle les range dans le placard au-dessus de l'évier. Ahurie, je vois qu'il y a cinq ou six cartouches identiques.

— Tu n'es pas obligée de faire tout ce cirque, Fannie, bougonne Laurie sans lever les yeux de sa sauce qui mijote sur le feu. Si vous alliez dans le salon, ajoute-t-il brusquement. Je voudrais être tranquille pour cuisiner.

On recule toutes les deux. Soit je suis dingue, soit il est odieux. En fait, il est odieux.

Fannie est décidément très jolie. Elle doit avoir environ vingt-cinq ans. Quand elle retire le gros pull qu'elle porte, j'ai mal pour elle. Elle n'est pas mince, elle est maigre. Sous les fines bretelles de sa robe, on voit ses omoplates qui dansent la samba. Elle ressemble à une espèce de grande aubergine maladive aux yeux d'ange. Avec quelques kilos en plus, elle serait d'une beauté à couper le souffle.

— Je suis du genre anorexique, plaisante-t-elle.

Je rougis jusqu'aux oreilles. Je l'ai ouvertement détaillée sans la moindre gêne.

— J'adore le mauve. Votre robe est incroyable.

Elle fait la moue en allumant une cigarette.

131

— Oh non, tutoie-moi s'il te plaît.

— D'accord.

Elle s'assied près de moi. A côté de mes baskets rouges, je vois de délicieuses petites sandales bleu pâle. Les nervures violettes sur ses mollets me flanquent la frousse. Je me demande si elle n'est pas gravement malade. Un genre de leucémie ou je ne sais quoi. Tout à coup, ça m'obsède au plus haut point.

— Fannie, tu n'es pas malade au moins ?

— Quoi ? fait-elle éberluée.

Et là, je me giflerais volontiers.

— Tu as l'air si fatiguée. Toute mince, comme ça...

— Non, je suis maigre. Et encore, je vais mieux. Tu m'aurais vue avant que je connaisse Laurie ! Je vomissais tout ce que je mangeais. Une horreur !

— Ah bon, je dis le plus calmement possible.

— Quand il m'a invitée à dîner la première fois, je me suis dit mais comment je fais à la fin du repas, mais comment je fais ?

Je tombe des nues :

— Mais pour quoi ?

— Pour vomir, tiens !

Je me tourne vers elle. Cette fille est brindezingue mais elle est si naturelle et sympathique que je ne me pose plus de questions, j'enchaîne.

132

— Alors ? je demande très intriguée.

— J'ai fait comme d'habitude. Je me suis levée en disant que je revenais tout de suite. Et là, Laurie s'est levé aussi. Il a dit : « Pas de problème, je vous accompagne, j'adore voir les jolies filles vomir. C'est un de mes passe-temps favoris. » Bon, après on s'est battus dans le restaurant. Je lui ai balancé mon sac à la figure, le gérant a appelé les flics et on est allés au poste.

Je ne trouve même plus les mots tellement elle me surprend. J'adopte donc la technique Sidonie Trompette.

— Passionnant. Continue.

— Oh non, fait-elle horrifiée.

— Quoi ?

— Le reste c'est privé. Ça ne te regarde pas.

— Excuse-moi. Je suis désolée.

Soudain ses beaux yeux brillent de larmes contenues :

— J'ai guéri petit à petit. Ça va nettement mieux. Mais tu vois, désormais, j'adore dîner. Et mettre des belles robes aussi. C'est mon rêve depuis que j'ai onze ans. C'est seulement le deuxième été que j'en porte.

Je la regarde, stupéfaite, cette grande Colombine toute maigre au visage angélique dont la bouche tremble de joie pour une chose aussi futile que de belles robes.

A cet instant précis, Sidonie Trompette descend comme une reine s'avance vers ses sujets. Pomponnée comme pas deux, elle avance, marche après marche, un léger sourire aux lèvres. Son bon regard pétille en nous découvrant assises sur le canapé.

— Bonsoir, bonsoir. Laurie, voulez-vous un peu d'aide ?

— Non ! crie-t-il. Fichez-moi la paix.

— Qu'est-ce qu'il a ? interroge Sidonie.

— Oh, dit Fannie, il est souvent de mauvaise humeur. Laurie est comme ça. On ne le changera pas. Bonsoir, je suis Fannie.

— Enchantée. Sidonie Trompette.

Fannie bat vivement des cils puis elle tend sa main.

— Je n'ose même pas vous serrer la main ; vous êtes si belle, mon enfant, glisse Sidonie d'une voix diplomate que je ne lui connaissais pas.

Au bref coup d'œil qu'on échange, je comprends qu'elle a noté la maigreur de Fannie et sa beauté aussi en un seul regard. Elle se pose avec précaution sur un fauteuil, son éternel sac rouge sur ses genoux.

— Nous dînons dans le jardin, Laurie ? se renseigne Fannie.

— Je vous le dirai quand j'aurai décidé.

Et vlan ! Il claque la porte de la cuisine.

— Charmant ! commente Sidonie.

Moi aussi, je sens qu'on va passer une soirée charmante.

CHAPITRE SEIZE

Fannie et les fleurs artificielles

Nous sommes éparpillés un peu partout dans la pièce. Seule Sidonie, une assiette de pâtes fumantes sur les genoux, n'a pas quitté son fauteuil. Côte à côte sur le canapé, Fannie et moi jouons à celle qui réussira à porter une fourchettée de spaghettis à la bouche sans l'envoyer valser dans les airs. Laurie, assis sur le rebord de la fenêtre, nous regarde tour à tour. Il a l'air de s'amuser de nous voir en si fâcheuse posture.

— Trois femmes pour moi tout seul. Quelle chance ! Franchement, je n'ai pas l'habitude d'avoir autant de monde à la maison.

Sidonie le fusille du regard :

— Je n'en doute pas une seconde.

Elle se tourne ensuite vers Fannie qui joue avec les petites rondelles de carottes. Elle les aligne avec une régularité de métronome sur le rebord de son assiette.

— Et vous, charmante enfant, que faites-vous de vos journées ?

— Des fleurs en plastique, répond-elle.

La tête penchée de côté, elle sourit à Sidonie comme si elle venait de lui faire une bonne blague.

— C'est idiot et vain mais j'adore, poursuit-elle mystérieusement.

Elle m'intrigue alors j'insiste.

— Comment ça ?

— Les fleurs naturelles sont sublimes, elles sont belles et tristes parce qu'elles meurent vite.

— Alors pourquoi les imiter ?

— Ce n'est pas ma faute, j'aime ça. Créer de toutes pièces un air fragile et naturel avec des matières artificielles. En fait, je cherche à tromper celui qui la voit. Qu'il s'imagine que sa joie peut durer une éternité car les fleurs ne mourront jamais. J'aime aussi l'idée qu'on les admire d'abord de loin. Il n'y a que lorsqu'on les touche qu'on s'aperçoit qu'elles sont fausses.

— Pour qui travaillez-vous ? interroge aimablement Sidonie.

— C'est là que je meurs de rire, ricane Laurie.

Fannie dépose son assiette à ses pieds. Elle jette un regard blessé à Laurie puis s'humecte les lèvres comme si cela lui donnait du courage. Elle sort une cigarette de son sac et l'allume.

— Des buffets pour des représentants de commerce, des décorations de mariage dans la région...

— Ou la foire aux cochons. Tu te souviens, l'été dernier ? Concours du plus beau porcelet avec des tables d'éleveurs sur lesquelles s'alanguissent les œuvres de Mademoiselle. J'ai bien cru mourir d'un fou rire.

— Pourquoi tu es si méchant ? Je me le demande bien, murmure Fannie avec une naïveté qui me déconcerte totalement.

Pourquoi tu donnes les bâtons pour te faire battre, Fannie, je corrige dans ma tête.

Laurie s'approche d'elle, il lui prend la cigarette et l'écrase dans le cendrier. Il soulève l'assiette abandonnée :

— Mange un peu, s'il te plaît, chuchote-t-il d'un ton très doux. Juste un peu.

Fannie recule puis elle repose à contrecœur l'assiette sur ses genoux.

Je me sens presque gênée d'assister à cet aparté qui n'a rien d'intime pourtant. Ou peut-être que si, tout ce qui touche à la nourriture est très personnel pour des gens comme Fannie. Je suis Laurie des yeux et je me dis que décidément tout m'échappe chez lui, je ne comprends rien. Je sens juste une petite colère qui monte un peu plus chaque fois qu'il rabroue Fannie.

— Sommes-nous utiles à quelque chose sur cette terre si nous refusons de partager quoi que ce soit ? Je veux dire si on ne partage rien avec personne est-ce que notre vie a quand même un sens ? déclare alors soudain Fannie.

Un silence de mort s'abat dans la pièce. Je croise le regard perplexe de Sidonie. Laurie lève les yeux au plafond puis mange comme si répondre à Fannie était totalement inutile.

— Eh bien, je peux essayer de vous répondre.

Fannie se tourne vers Sidonie et en profite pour redéposer son assiette à ses pieds. Avant même que celle-ci ait ouvert la bouche, Laurie la devance :

— De quoi tu parles, Fannie ? Est-ce que quelqu'un a un jour partagé un seul gramme d'amour ou d'affection avec toi ?

— Pourquoi tu dis ça ? C'est faux ! s'écrie Fannie.

— Tu ne sais même pas garder quelques pâtes dans ton estomac. Alors avec qui tu veux partager quoi que ce soit si tu ne sais même pas partager un repas ?

Fannie baisse les yeux. Sidonie se lève.

— J'en ai assez entendu. Ça suffit pour ce soir, dit-elle d'une voix métallique.

142

Elle me colle une bise, caresse les cheveux de Fannie au passage puis rassemble ses affaires. Pas une fois, elle ne tient compte de Laurie. Elle agit comme s'il était absent de la pièce.

— Je te téléphone, Lili. Ça ira?

Je hoche la tête, les oreilles bourdonnantes des paroles de Laurie. Fannie lève son joli visage vers Sidonie.

— Bonsoir, madame Trompette. J'ai été ravie de vous connaître.

Une fois Sidonie sortie, Fannie me prend la main tout en m'observant avec un petit sourire :

— Laisse-nous, tu veux? Je dois parler à Laurie.

Je me lève comme un automate.

— Je te le rends dans une minute, Fannie. Laurie, allons dehors. J'ai quelque chose à te dire moi aussi.

— Ça ne peut pas attendre? marmonne-t-il en s'essuyant la bouche avec une serviette.

— Non, je lui dis avec un grand sourire. C'est maintenant ou jamais.

CHAPITRE DIX-SEPT

Ma main sur sa figure

Une cigarette fichée entre les lèvres, Laurie me regarde avec un air narquois. Il semble exulter de nous avoir gâché la soirée et d'avoir humilié Fannie.

Nous sommes juste derrière la maison, la lumière provenant du salon éclaire à peine les deux mètres carrés où nous nous trouvons. Je joue avec les gravillons en les bousculant du bout de ma basket. Le froid de la nuit me donne la chair de poule. En même temps, à l'intérieur de ma tête, ça chauffe comme un soleil tropical. Une chouette s'envole et le froissement de ses ailes capture mon attention. Je la suis puis la perds de vue lorsqu'elle disparaît derrière les tilleuls en contrebas. Alors, je reviens vers l'homme adossé à un arbre et qui contemple les étoiles d'une mine satisfaite. Il a

147

l'expression de quelqu'un qui vient de décrocher la lune.

— Il va faire beau demain. Vivement demain d'ailleurs, qu'on en finisse avec cette soirée sordide. Je meurs d'envie d'aller me coucher.

Il s'étire en bâillant. Et là, ça me tombe dessus. Je ne sais même pas comment. Une colère noire me prend par la main. Je me vois avancer vers Laurie et mon bras qui se lève vers son visage et puis j'entends une gifle retentissante s'abattre sur sa joue. Il n'y a plus un bruit, il me semble que le monde vient de s'arrêter, que la terre ne tourne plus rond, que la vie est sans pitié et que rien ne me rendra jamais heureuse. Je me sens comme dans un rêve, pourtant c'est un cauchemar que je vis. « J'ai frappé mon père », je me dis. Il me regarde sans comprendre. Des émotions contradictoires défilent sur son visage. L'étonnement, la colère, la stupéfaction se disputent sans fin tandis que son corps reste pétrifié par ce qui vient d'arriver. Il ne prononce pas un mot même si ses yeux restent fixés sur moi. J'ai le sentiment qu'il me voit pour la première fois et moi, je me dis que c'est la dernière. Il va me raccompagner pour me fourrer dans le premier train pour Paris. Sa main se lève, se pose doucement sur son visage, comme s'il cherchait à cacher la marque de mes doigts sur sa peau. Il bat des paupières, il ressemble

148

à un enfant blessé qu'une punition injuste a pris de court. Je tourne les talons et je prends mes jambes à mon cou. Le diable aux trousses, je traverse le salon au pas de charge, les yeux brûlants de larmes qui ne couleront pas, je le sais.

CHAPITRE DIX-HUIT

La voix très douce de Clarisse Grès

Je monte quatre à quatre dans ma chambre. Le cœur battant de chagrin et de honte, je n'arrive même plus à penser. Allongée sur mon lit, je regarde le plafond comme si c'était mon futur métier. Le plus dur c'est le silence. Aucun bruit de dispute, ni d'éclats de voix. Personne ne vient me reprocher quoi que ce soit. Je ne suis même pas punie pour ce que j'ai fait. Je sors mon portable et j'appelle Maman.

— Salut. Pourquoi tu ne m'as pas appelée hier, Lili ?

Je me dis que je suis prête à n'importe quoi pour que ma mère m'aime toujours et qu'elle ne s'inquiète jamais alors je trouve le courage de plaisanter pour la rassurer.

— J'ai subi un grave traumatisme. J'ai commencé un journal intime et je l'ai fini. Il fait deux pages.

Elle éclate de rire et son rire en cascade ensoleille ma nuit.

— Mes plus sincères condoléances, Lili. Tu vas bien ?

— Pas terrible, non. Pourquoi tu l'aimais Laurie ?

— Parce qu'il ne ressemblait à personne. Il était très secret. Il ne demandait jamais… rien. Ça me fascinait… quelqu'un qui demande si peu. Comment fait-il pour vivre ainsi ? me disais-je. Il allait et venait, sans se soucier de rien… ni de personne. Mais quand il le décidait, il transformait la vie en une fête miraculeuse… il savait être… si… si…

— Bon ça va, les trémolos. Je suis pas comme ça, j'espère ?

— Comme quoi ?

Je chasse rageusement les larmes qui m'emplissent les yeux en flots intarissables qui menacent de me noyer.

— Du genre qui dérange personne et qui ne donne jamais rien.

— Non chérie, toi… toi, tu n'es pas… tu n'es pas du tout comme ça, répond Clarisse Grès d'une voix très douce.

CHAPITRE DIX-NEUF

Un être imprévisible, charmant et égoïste

Je parle avec Maman très longtemps. Je n'écoute pas trop ce qu'elle dit ni ce que je réponds. En pilotage automatique, je m'emplis du son aimant et rassurant de sa voix. Lorsque je raccroche, Fannie est là. Elle se tient sur le pas de la porte, son sourire hésitant sur le visage.

— Pas très agréable comme dîner, n'est-ce pas ?

— C'est surtout toi qui en as fait les frais.

— Je peux ? demande-t-elle en me montrant le bord du lit.

Je me pousse un peu. Le matelas s'affaisse à peine lorsqu'elle se pose.

— C'est bien triste parce qu'on ne se reverra plus jamais, Lili.

Ça me fait un choc. Une presque inconnue m'annonce que nos relations s'arrêtent là et je fais un bond comme si on m'avait giflée.

— Pourquoi ?

— Laurie et moi, c'est fini. Je l'ai quitté. Ça me rend malheureuse mais je ne veux plus le voir. Ça me fait trop souffrir.

Je ne sais pas quoi répondre. Je cherche quelque chose de gentil ou peut-être devrais-je protester mais rien ne vient. Je ne ressens même pas de gêne mais plutôt une sorte de fatigue qui me dépasse. Comme si j'assistais à une pièce dont je devenais malgré moi l'une des actrices.

— Laurie a été formidable avec moi mais j'ai besoin de temps pour guérir et son humeur est trop changeante pour quelqu'un comme moi.

— Mais il est toujours comme ça avec toi ?

Elle souffle bruyamment en levant les yeux au plafond. Sa bouche tremble malgré le petit sourire qui s'y affiche presque malgré elle.

— Laurie est le roi du soufflé. Adorable un instant, odieux la minute d'après. Je ne sais pas pourquoi mais j'ai le don de le mettre hors de lui. Je suis une des rares personnes à lui faire perdre son calme.

Je tripote un bout de la couverture matelassée. J'ai la vague sensation qu'il ne sait pas trop comment être avec elle. S'il s'en fichait, il ne la verrait pas. Mais je me rappelle la tête qu'il a faite quand il a découvert qu'elle était là le soir où je suis arrivée.

— Peut-être qu'il t'aime ? Qu'il ne sait pas comment...

— Non, Lili. N'inversons pas les rôles, moi, je l'aime, lui pas.

Je ne la connais pas, elle n'a jamais eu l'air sûre d'elle de toute la soirée, mais là, c'est la phrase la plus définitive qu'elle ait jamais prononcée.

— Est-ce qu'il t'a demandé comment tu vivais à Paris, si tu avais un amoureux ou ce qui te passionnait dans l'existence ?

— Faut dire que je l'ai bombardé de questions. Je ne l'ai pas laissé respirer une seconde.

Soudain, elle se penche vers moi. Dans ses grands yeux, je lis déjà que je ne vais pas aimer du tout ce qu'elle va me dire.

— Laurie est un être imprévisible, charmant et égoïste.

CHAPITRE VINGT

Le vide autour de soi

Je suis descendue dans le salon à pas de loup. Pas besoin de prendre autant de précautions, il n'y avait personne. Je m'approche de la fenêtre ouverte : Laurie fume sur le perron.

— Coucou !

Il se retourne et semble surpris. Comme s'il avait complètement oublié ma présence dans la maison. Comme s'il avait oublié que je l'avais giflé.

— Salut ! dit-il un peu mal à l'aise.

J'enjambe la fenêtre et je sors le rejoindre.

— C'est dégueulasse, je décrète.

— Quoi ? De m'avoir explosé la joue ? dit-il un brin ironique.

— De faire payer aux gens l'amour qu'on éprouve pour eux.

Laurie ne répond rien. J'ai dans l'idée que le message a été reçu. On s'assied tous les deux sur la marche. En face de nous, la montagne Sainte-Victoire est comme un monstre aux contours tout noirs qui va tomber sur nous. C'est plutôt inouï comme spectacle. En même temps, que ce paysage soit possible me remplit d'espérance. Ça me donne un courage que je ne me connaissais pas.

— Tu as un petit ami ? demande Laurie.

Je secoue la tête.

— Ça ne veut pas dire que je n'en ai pas eu.

— Raconte.

— Il s'appelait Simon. On n'était pas bien ensemble. Disons que ça me faisait souffrir d'être avec lui.

— Pourquoi ?

— Parce que… Parce que moi je l'aimais et lui un peu moins. Il n'y avait pas d'équilibre dans notre histoire. J'avais besoin de lui, qu'il soit là tout le temps, ça me rendait dingue qu'il ne m'appelle pas un soir. Je me sentais pas rassurée, toujours sur le qui-vive. Alors j'ai préféré qu'on se quitte.

— Et il n'a rien fait ? Il n'a pas lutté ?

— Non. Il était plutôt soulagé, je crois. Comme toi avec Fannie. Content d'être débarrassé.

— De quoi je me mêle ? grommelle Laurie.

Je prends mon courage à deux mains. Je me sens tellement grande tout d'un coup. Tellement sûre. C'est la première fois de ma vie.

— Tu te rappelles ? Tu m'as dit « les belles choses ne sont pas réservées à qui que ce soit ».

— Quel rapport ?

— Je suis d'accord avec toi mais, à mon avis, c'est plutôt « les belles choses sont réservées à ceux qui les veulent de tout leur cœur ». Elles sont à des gens comme Fannie... Pour elle, son amour pour toi est une belle chose. Je ne sais pas comment elle fait.

— Merci bien !

— Tu devrais aussi lui dire que tu l'aimes avant qu'il ne soit trop tard.

Mon cœur s'emballe dans ma poitrine mais je résiste quand même à mon propre chagrin. De lui parler à cœur ouvert ouvre les vannes de mes propres émotions. J'ai soudain la révélation que je sais ce que je dis, que je sais ce que signifie trop tard. Trop tard c'est d'avoir rêvé d'un papa gâteau au physique rond et au bon sourire. Quelqu'un qui m'ouvrirait les bras avec joie pour m'aider, me conseiller, me donner des réponses ct des solutions à chacun de mes problèmes. Jamais de ma vie, je n'avais rêvé d'un type assis à côté de moi, un peu capricieux, assez intransigeant, plutôt solitaire. Pour l'heure il a juste l'air d'un extraterrestre qui a le moral dans les chaussettes. Je me demande pourquoi il a repoussé les deux seules choses qui l'ont transporté dans la vie : un violoncelle et une jeune femme fragile qui fabrique des fleurs artificielles. Sans doute je ne le saurai jamais, bien que j'aie ma petite opinion personnelle à ce sujet.

En ce qui me concerne, c'est comme si une porte que j'espérais ouverte n'avait en réalité jamais existé. Une musique à laquelle je croyais et qui, par malheur, n'a pas été composée. Je sens le chagrin flotter autour de moi.

— Je ne sais pas, murmure-t-il. Je ne sais pas pourquoi j'agis ainsi. C'est plus fort que moi, j'ai besoin de faire le vide autour de moi. De crainte qu'on ne m'abandonne, j'abandonne en premier. Je voudrais dire à Fannie : «Ne pars pas, reste. J'ai besoin de toi, je voudrais tant prendre soin de toi comme tu le mérites...» mais j'ai si peur de mal faire que je préfère la chasser.

Là, je sens que le moment est venu de jouer ma botte secrète. L'air de rien, d'un ton négligé au possible, je lâche comme on dit bonjour :

— Tu sais, Laurie, je vais rentrer à Paris.

— Oh non ! S'il te plaît !

Alors là, je suis épatée. Plutôt surprise même. Il agit comme si je ne lui avais jamais imprimé ma main sur la figure. Un flot de honte me monte à la gorge.

— Je regrette de t'avoir giflé.

166

Il secoue la tête comme si cela n'avait aucune importance.

— Non, je ne veux plus parler de ça. Plus jamais… Il y a juste que… Je… Enfin, je voulais te dire que… J'ai un cafard de tous les diables. Ne me laisse pas tomber, Lili.

— D'accord, mais en échange, tu appelles Fannie.

— Finalement, je te raccompagne à la gare ! plaisante-t-il.

Je vois bien que j'ai gagné. Je ne sais pas si Laurie a changé ma vie mais on dirait que moi, je sais changer la sienne.

CHAPITRE VINGT ET UN

Suites...

Au café sur la grande place d'Avignon avec Sidonie Trompette, je déguste le café noir en la regardant se poudrer le visage pour la troisième fois de
l'après-midi.

— Tu es hallucinante, Lili ! Je ne sais pas comment tu fais ! Tu as réussi à le convaincre d'aller
demander pardon à genoux à Fannie ? Quelle éner-
gie !

— Ce n'était pas bien compliqué. J'ai su presque
tout de suite qu'il l'aimait. Sinon il n'aurait pas été
aussi désagréable avec elle. C'était comme une
preuve d'amour codée.

— Moi, ça m'a échappé.

— C'est à cause du regard.

— Pardon ?

— Le soir du dîner. Quand il s'est approché pour
la supplier de manger. Il ne voyait qu'elle. La mai-

son aurait pu exploser qu'il n'aurait pas été plus malheureux. Ça m'a rappelé Maman quand elle a été très malade. J'avais dix ans et j'étais morte de peur. Je la regardais, je la retenais des yeux. « Maman, je lui disais, Maman tu es la personne la plus importante de ma vie, je n'ai que toi dans l'existence, alors s'il te plaît, ne meurs pas. »

— Comment elle a réagi ?

— Elle m'a ri au nez en me conseillant de lui ficher la paix. D'après elle, il est rare qu'on meure d'une grippe de nos jours.

Je consulte ma montre discrètement. Il est dix-sept heures trente. Je me demande ce qu'il fabrique.

— Il devrait déjà être là.

Sidonie s'approche de moi.

— Tu as quelque chose derrière la tête. Ne me dis pas le contraire.

Je hoche la tête.

— On peut savoir ?

— Non. Je vous dirai plus tard. Je vous téléphone ce soir.

J'hésite à lui parler de la gifle. Finalement, je décide de ne pas en dire un mot. Ce sera notre secret à Laurie et à moi. A défaut de première glace ou de premier vélo, j'aurai dans mon cœur la fois où j'ai frappé mon père en guise de souvenir d'enfance. J'ai l'étrange sensation d'être moi mais en même temps, je me sens très différente. Comme si j'avais radicalement changé de coupe de cheveux ou renoncé aux jean-baskets à jamais. En fait non, c'est plus grave. J'ai l'impression d'avoir grandi d'un coup en quelques jours. Sidonie soupire et fouille dans son sac. En agitant le porte-monnaie sous mon nez, elle me menace gentiment.

— Je ne sais pas ce que tu as en tête mais gare à toi si c'est une sottise. Ne viens pas pleurnicher si tu t'accroches avec Laurie ou je ne sais quoi. Ça m'étonnerait que ça lui plaise bien longtemps que tu te mêles ainsi de sa vie.

— J'en prends le risque.

— Pourquoi ?

Là, je baisse un peu les yeux.

— C'est personnel.

— Excuse-moi, je vais m'étrangler de rire.

— Ça va ! S'il change un peu, s'il devient un peu plus... un peu moins...

— Caractériel et insupportable ? ironise-t-elle.

— Je voudrais que les choses soient plus belles. Plus douces. J'en ai besoin dans mon cœur. Si je me fâche avec Laurie, je sais qu'il me manquera.

— Même si ta photo intérieure et la réalité brute de pomme se sont télescopées ?

— Yes.

Sidonie me colle une bise sur la joue et me retient

173

un peu contre elle en tapotant vaguement mon dos. Elle a l'air toute songeuse.

— Je t'offre ton café. Et j'y vais ensuite. Tu restes ici ?

— Oui.

— Puisque tu rentres vendredi prochain à Paris, je prends le train avec toi. J'ai des choses à faire là-bas.

— Génial ! Alors on voyage ensemble ?

— J'en ai bien peur !

Je sens une bouffée de tendresse pour elle. Finalement, elle a voyagé avec moi tout le temps de mon séjour. Je ne m'en suis pas aperçue mais elle ne m'a jamais quittée.

— Merci, Sidonie. Pour tout.

— N'importe quoi.

Je la suis des yeux. Sa petite démarche décidée qui file dans une ruelle adjacente. Après, je vois Laurie qui arrive. Ils se croisent et se saluent à peine. Elle me fascine, Sidonie. Quand elle fait la tête à quelqu'un, elle met le paquet. Ce n'est pas son genre de se réconcilier à la va-vite. La paix, ça se gagne, semble-t-elle prôner. Moi je suis plutôt du genre à baisser les armes tout de suite et négocier immédiatement tellement les conflits me ravagent.

« C'est pour ça que tu es plus forte que moi », a déclaré Sidonie.

J'étais touchée. Venant d'elle, une telle phrase sonne comme un véritable compliment. Sauf qu'avec Laurie, je sais bien que je ne négocierai jamais. Il m'a montré, sans le faire exprès, une façon d'être Lili que je ne connaissais pas. Quand Laurie s'affale à côté de moi, je l'interroge des yeux.

— Fannie t'embrasse, marmonne-t-il.

Façon pudique de dire qu'ils sont de nouveau ensemble. J'espère qu'il va se tenir tranquille maintenant. Je touche dans ma poche un petit carton mince mais néanmoins d'une importance démesurée. Comment je vais m'y prendre ? Je respire profondément et je me lance.

— Tiens, je dis.

Je le lui tends. Il me demande ce que c'est. Je hausse les épaules. Il l'examine et n'en revient pas. Un instant les quelques mots frappés par une quelconque machine le font battre sans fin des cils. Il me regarde, puis regarde à nouveau les deux places que j'ai achetées en début d'après-midi.

Suites pour violoncelle seul. Bach
Deux places — 19 heures 30
Avignon — 21 Juillet 2001

Un sourire illumine son visage, et je me sens tout à fait rassurée.

— Bonne idée, Lili. Ça fait plus de dix ans que je ne les ai pas entendues.

Laurie se lève d'un bond de son siège. Peut-être va-t-il cacher son émotion ailleurs.

— Je vais téléphoner à Fannie. Elle prend le train pour Paris dans une heure. Elle a décroché un rendez-vous avec une boutique de décoration. Elle va leur vendre ses fleurs à la con. Les pauvres ! Je voudrais lui faire une bise avant qu'elle ne parte.

— Tu viens de la voir !

— On n'est jamais trop prudent avec elle. Des fois qu'elle ait oublié combien je l'aimais. Je me demande si je ne suis pas en train de la harceler. Qu'en penses-tu ?

— Débrouille-toi.

— Je rêve ou tu viens de renoncer à régenter ma vie ? Tu veux bien me signer un papier ? Une attestation ou un truc du genre ?

J'éclate de rire malgré moi. A mes propres oreilles, ça résonne enfin comme un rire content. Je ne dirais pas que je suis en paix avec moi-même, mais il y a quelque chose qui ressemble à un début d'espoir.

— Je reviens tout de suite, promet Laurie.

Il m'ébouriffe les cheveux au passage. Ça me fait drôle ce geste qu'on destine en général aux petits enfants. En réalité, je suis très émue. Alors je me concentre sur autre chose. Dans une salle de spectacle, à quelques rues d'ici, dans deux heures environ, un musicien va jouer les suites pour violoncelle seul. Je me demande s'il a le trac, s'il a peur autant que moi. Quand je suis passée devant le théâtre avant mon rendez-vous avec Sidonie, j'ai eu l'impression que la vie m'adressait un clin d'œil. «Prends, disait-elle, saisis cette malicieuse coïncidence du destin.»

J'ai trouvé que c'était loin d'être bête. Pour la première fois, je percevais la musique comme un cadeau sans mots, un délice qu'on peut partager sans commettre trop d'erreurs ou de maladresses. Avec elle, peut-être qu'il y a moins de place pour le malentendu. J'ai tout de suite pensé à Laurie.

En plus, cette œuvre-là, je ne sais pas s'il l'aime encore mais elle signifie quelque chose de très particulier pour lui. Celle de son amour pour la musique et de son échec aussi. Ces suites le touchent sûrement plus que Sidonie, Fannie, Maman ou moi. Je réalise soudain que je ne suis jamais allée au concert de ma vie. Finalement, je m'offre aussi un cadeau. Sous le coup de l'émotion, je prends alors une cigarette dans le paquet de Laurie. Je fouille dans la poche de sa veste à la recherche d'un éventuel briquet. A la place, je retire un petit carton dont les lettres dansent comme des petits êtres merveilleux.

Des promesses à venir se dessinent sous mes yeux. Je lis et je relis sans fin l'invitation trouvée dans la poche de Laurie.

Suites pour violoncelle seul. Bach
Deux places — 19 heures 30
Avignon — 21 Juillet 2001

Je me sens extraordinairement bouleversée. Que Laurie ait eu la même idée que moi, c'est comme s'il acceptait qu'on est de la même famille. Je suis tellement contente que je regarde si tout le monde dans le café partage mon bonheur. Grave erreur. Un couple d'amoureux se chamaille derrière moi. Plus loin, des petits vieux s'engueulent en s'arrachant le journal qui est apparement le sujet de leur désaccord. Le pire, c'est le type à la table voisine. Un peu rond comme un enfant resté dodu, il est surtout blanc comme un linge. Bras croisés, le dos un peu voûté, il a les yeux fermés comme s'il ne supportait plus du tout l'existence. Ses paupières tremblantes en plein soleil me flanquent le cafard. D'abord, on voit tout de suite qu'il ne dort pas mais qu'il ferme très fort les yeux volontairement. Peut-être qu'il se repose simplement. Qu'il vient de subir une dure épreuve et qu'il se requinque comme il peut. Le malheureux avec ses paupières frissonnantes, son

178

embonpoint et son allure générale plutôt tendue me fait pitié. Je me penche et je le secoue par la manche. Il sursaute.

— Oui ? dit-il.

L'air un peu exaspéré, il rajuste ses lunettes sans oublier de m'incendier pour avoir osé le déranger.

Je lui donne les billets achetés par Laurie :

— Tenez. Je vous offre ces deux places. Mon père et moi, on a eu la même idée. On les a en double.

Il est carrément pris de stupeur. Son regard passe des billets à moi à plusieurs reprises. Le pauvre garçon doit être tellement mal qu'il n'en revient pas qu'une inconnue lui fasse un cadeau. Je commence à me sentir un peu gênée. Pourvu qu'il ne fonde pas en larmes. Mais non. Ses yeux s'illuminent au contraire. Ils brillent de mille feux comme s'ils pétillaient de joie.

— Comment vous appelez-vous ? demande-t-il.

— Lili, je réponds soudain intimidée.

— Je vous remercie de tout mon cœur, Lili. C'est la première fois qu'on m'invite à mon propre concert.

Il éclate de rire. Et son rire est surprenant. Mélodieux, gai et extrêmement heureux.

Ce que j'adorerais rire comme ça.

Dans la collection
Lampe de Poche Pré-Ados

Copie conforme
Jean Molla

Vis ta vie, Nina
Maïa Brami

Plus fort que moi
Shaïne Cassim

Enquête par correspondance
Ann Rocard

L'enfant qui caressait les cheveux
Koschka

Les pères aussi ont leurs secrets
Maïa Brami

Impression réalisée sur CAMERON par

BUSSIÈRE CAMEDAN IMPRIMERIES

GROUPE CPI

à Saint-Amand-Montrond (Cher)
en février 2003
pour le compte des Éditions Grasset,
61, rue des Saints-Pères, 75006 Paris.

Mise en pages : Bussière

N° d'édition : 12707. — N° d'impression : 26909-025639/1.
Dépôt légal : février 2003.

Imprimé en France

ISBN 2-246-64501-8